博士の愛した数式

小川洋子
Yoko Ogawa

新潮社

博士の愛した数式

1

彼のことを、私と息子は博士と呼んだ。そして博士は息子を、ルートと呼んだ。息子の頭のてっぺんが、ルート記号のように平らだったからだ。

「おお、なかなかこれは、賢い心が詰まっていそうだ」

髪がくしゃくしゃになるのも構わず頭を撫で回しながら、博士は言った。友だちにからかわれるのを嫌がり、いつも帽子を被っていた息子は、警戒して首をすくめた。

「これを使えば、無限の数字にも、目に見えない数字にも、ちゃんとした身分を与えることができる」

彼は埃の積もった仕事机の隅に、人差し指でその形を書いた。

$\sqrt{\ }$

私と息子が博士から教わった数えきれない事柄の中で、ルートの意味は、重要な地位を占める。世界の成り立ちは数の言葉によって表現できると信じていた博士には、数えきれない、などという言い方は不快かもしれない。しかし他にどう言えばいいのだろう。私たちは十万桁もある巨大素数や、ギネスブックに載っている、数学の証明に使われた最も大きな数や、無限を越える数学的観念についても教わったが、そうしたものをいくら動員しても、博士と一緒に過ごした時間の密度には釣り合わない。

ルート記号の中に数字をはめ込むとどんな魔法が掛かるか、三人で試した日のことはよく覚えている。四月に入って間もない頃、雨の降る夕方だった。薄暗い書斎には白熱球が灯り、息子が放り出したランドセルが絨毯の上に転がり、窓の向こうには雨に濡れる杏《あんず》の花が見えた。

いつどんな場合でも、博士が私たちに求めるのは正解だけではなかった。何も答えられずに黙りこくってしまうより、苦し紛れに突拍子もない間違いを犯した時の方が、むしろ喜んだ。そこから元々の問題をしのぐ新たな問題が発生すると、尚一層喜んだ。彼には正しい間違いというものについての独自なセンスがあり、いくら考えても正解を出せないでいる時こそ、私たちに自信を与えることができた。

「では今度は、マイナス1をはめ込んでみるとしようじゃないか」

博士は言った。

「同じ数を二回掛算して、マイナス1になればいいんだね」

学校でようやく分数を習ったばかりの息子は、博士の三十分足らずの説明でもう、ゼロより小さい数の存在を受け入れていた。私たちは頭に$\sqrt{-1}$を思い浮かべた。ルート100は10、ルート16は4、ルート1は1、だから、ルートマイナス1は……。

博士は決して急かさなかった。じっと考え続ける私と息子の顔を見つめるのを、何よりも愛した。

「そんな数は、ないんじゃないでしょうか」

慎重に私は口を開いた。

「いいや、ここにあるよ」

彼は自分の胸を指差した。

「とても遠慮深い数字だからね、目につく所には姿を現わさないけれど、ちゃんと我々の心の中にあって、その小さな両手で世界を支えているのだ」

私たちは再び沈黙し、どこか知らない遠い場所で、精一杯両手をのばしているらしいマイナス1の平方根の様子に思いを巡らせた。雨の音だけが聞こえていた。息子はもう一度ルートの形を確かめるように、自分の頭に手をやった。

しかし、博士は教えるだけの人ではなかった。自分が知らない事柄に対しては謙虚であり、マイナス1の平方根に負けないくらい遠慮深かった。博士は私を呼ぶ時、必ずこう言った。

「ちょっとすまないが、君……」

たとえオーブントースターのつまみを三分半に合わせてもらいたいだけの時でさえ、ちょっとすまないが、の一言を付け加えるのを忘れなかった。ギリギリッと私がつまみを回すと、首をのばし、トーストが焼き上がるまでオーブンの中を覗き込んでいた。まるで私の示した証明が、一つの真理に向かって進んでゆく様を見届けようとするかのように、そしてその真理がピュタゴラスの定理と同等の価値を持つとでもいうかのように、トーストに見惚れていた。

あけぼの家政婦紹介組合から、私が初めて博士の元へ派遣されたのは、一九九二年の三月だった。瀬戸内海に面した小さな町のその組合に登録された家政婦の中で私は一番若かったが、キャリアは既に十年を越えていた。その間どんなタイプの雇い主ともうまくやってきたし、家事のプロとしての誇りも持っていた。他の皆が敬遠する面倒な顧客を押し付けられても、組合長に不平など漏らしはしなかった。

博士の場合、顧客カードを見ただけで、手強い相手だと予測できた。先方からのクレームにより家政婦が交替した場合、カードの裏にブルーのインクで星印の判が押されるのだが、博士のカードには九つものマークがついていたからだ。かつて私が関わったうちで、最高記録だった。

面接のため博士の家を訪れると、応対に出てきたのは、上品な身なりの痩せた老婦人だった。栗色に染めた髪を結い上げ、ニットのワンピースを着て、左手に黒い杖を突いていた。

「世話をしてほしいのは、ギテイです」

彼女は言った。最初、博士と老婦人がどういう関係なのか分からなかった。

「どなたも長続きしなくて、私もギテイも大変困っております。新しい方が来られるたび、またすべて一からやり直しで、手間ばかり掛かります」

ギテイとは義理の弟のことを言っているのだと、ようやく私は理解した。

「特別にややこしいお仕事をお願いしているわけではありません。月曜から金曜まで、午前十一時に来て、義弟にお昼を食べさせ、部屋の中を清潔に整え、買物をし、晩ご飯を作って夜の七時に帰る。たった、それだけです」

彼女の口から発せられるギテイという言葉には、どこかためらうような響きがあった。丁重な物腰にもかかわらず、左手だけは落ち着きなく杖をいじっていた。時折、私と視線が合わないよう注意しながら、警戒心に満ちた目でこちらを見やった。

「細かい取り決めは組合に提出している契約書にあるとおりです。とにかく義弟に、誰もがやっている、ごく当たり前の日常生活を送らせてやれる方ならば、私には何の不足もございません」

「弟さんは今、どちらに？」

私は尋ねた。老婦人は杖の先で、裏庭の先にある離れを指した。きれいに刈り込まれたレッドロビンの生け垣の向こう、生い茂った緑の隙間から、小豆色のスレート屋根が覗いていた。

「離れと母屋を行き来はしないで下さい。あなたのお仕事場は、あくまで義弟宅です。北側の道路に面した、離れ専用の玄関がありますから、そちらを使って出入りしていただければ結構かと思います。義弟が起こしたトラブルは離れの中で解決して下さい。よろしいですね。それだけは守っていただきます」

老婦人は杖を一度、コツンと鳴らした。

かつての雇い主たちから出された数々の理不尽な要求、髪をお下げにして毎日違うリボンで結ぶ、お茶の温度は七十五度以上でも以下でもいけない、空に金星が昇ったら両手を合わせて拝む……等々に比べれば、たいして難しくない約束に思えた。

「弟さんに、お目にかかれますか?」

「必要ありません」

あまりにもきっぱりと否定されたせいで、取り返しのつかない失言をしたような気分になった。

「今日あなたと顔を合わせても、明日になれば忘れてしまいます。ですから、必要ないのです」

「と、おっしゃいますと……」

「つまり、端的に申せば、記憶が不自由なのです。惚けているのではありません。全体として脳細胞は健全に働いているのですが、ただ、今から十七年ほど前、ごく一部に故障が生じて、物事を記憶する能力が失われた、という次第です。交通事故に遭って、頭を打ったのです。義弟の記憶の蓄積は、一九七五年で終わっております。それ以降、新たな記憶を積み重ねようとしても、すぐに崩れてしまいます。三十年前に自分が見つけた定理は覚えていても、昨日食べた夕食のメニューは覚えておりません。簡潔に申せば、頭の中に八十分のビデオテープが一本しかセットできない状態です。そこに重ね録りしてゆくと、以前の記憶はどんどん消えてゆきます。義弟の記憶は八十分しかもちません。きっちり、一時間と二十分です」

もう何度も同じ説明を繰り返してきたからだろう。老婦人は何の感情も込めずに淀みなく喋った。

八十分の記憶について具体的なイメージを持つのは難しかった。もちろん病人の世話をしたことは何度もあったが、そうした経験がどんな役に立つのか、見当がつかなかった。今更ながら、カードにずらずらと並ぶブルーの星印が思い出された。

母屋から見るかぎり離れはひっそりとし、人の気配は伝わってこなかった。レッドロビンの生け垣には、離れに通じる古風なデザインの開き戸がしつらえてあった。よく見ると、扉には頑丈な錠前が掛けられていた。すっかり錆付き、鳥のフンがこびり付き、最早どんな鍵を差し込んでも開きそうにない錠前だった。

「では、明後日、月曜日からで、異存はございませんね」

余計な詮索を差し挟む余裕を与えまいとするように、彼女は言い切った。こうして私は博士の家政婦になった。

立派な母屋に比べ、離れは質素を通り越して見すぼらしかった。素っ気ないコンパクトな平屋造りで、止むを得ず渋々そこに建っているかのような気配を漂わせていた。その気配を覆い隠すためか、離れの周囲だけ、手入れをされていない樹木が伸び放題に茂っていた。玄関は日当たりが悪く、呼び鈴は壊れて鳴らなかった。

「君の靴のサイズはいくつかね」

新しい家政婦だと告げた私に博士が一番に尋ねたのは、名前ではなく靴のサイズだった。一言の挨拶も、お辞儀もなかった。どんな場合であれ、雇い主に対し質問に質問で答えてはならないという家政婦の鉄則を守り、私は問われたとおりのことを答えた。

「24です」

「ほお、実に潔い数字だ。4の階乗だ」

博士は腕組みをし、目を閉じた。しばらく沈黙が続いた。

「カイジョウとは何でしょうか」

何故かは知らないが雇い主にとって靴のサイズが意味深いものであるなら、もう少しそれを話題に登らせておくべきではと考え、私は質問した。

「1から4までの自然数を全部掛け合わせると24になる」

目を閉じたまま博士は答えた。

「君の電話番号は何番かね」

「576の1455です」

「5761455だって？　素晴らしいじゃないか。1億までの間に存在する素数の個数に等しいとは」

いかにも感心したふうに、博士はうなずいた。

自分の電話番号のどこが素晴らしいのか理解はできなくても、彼の口調にこもる温かみは伝わってきた。自分の知識を見せびらかす様子はなく、むしろ逆に慎みと率直さが感じられた。もしかしたら自分の番号には特別な運命が秘められており、それを所有する自分の運命もまた特別なのではないだろうか、という錯覚に陥らせてくれる温かみだった。

家政婦として通いはじめてからしばらく後、何を喋っていいか混乱した時、言葉の代わりに数字を持ち出すのが博士の癖なのだと判明した。他人と交流するために彼が編み出した方法だった。数字は相手と握手をするために差し出す右手であり、同時に自分の身を保護するオーバーでもあった。上から触っても身体のラインがたどれないくらい分厚くて重く、誰一人脱がせることの不可能なオーバーだった。それさえ着ていれば、彼は取り敢えず自分の居場所を確保できた。

私が家政婦を辞めるまで、毎朝玄関で数字の会話が繰り返された。八十分で記憶の消えてしまう博士にとって、玄関に現われる私は常に初対面の家政婦だった。従って彼は初対面の者に対して抱く遠慮を、毎回律儀に示すことになった。尋ねる数字は靴のサイズと電話番号の他に、郵便番号、自転車の登録ナンバー、名前の字画などいくつかのバリエーションがあったが、それらにすぐさま意味を与えるのはいつも同じだった。意味を見つけようと努力している気配などないのに、勝手に階乗だとか素数だとかいうものたちが口からこぼれてくるようだった。

階乗や素数の仕組みについておいおい博士から説明を受けたあとでも、私は玄関での問答を新鮮な気持で楽しんだ。自分の電話番号に、電話をつなぐ以外の意味がある事実を確認し、その意味が持つ清明な響きを耳にすると、安心した気分で一日の仕事をスタートさせることができた。

博士は六十四歳の、数論専門の元大学教師だった。見た目は実際の年齢よりもやつれていた。単に老けているだけではなく、身体の隅々にまできちんと養分が行き渡っていない印象を与えた。ひどい猫背のために一六〇センチほどしかない身長はますます小さく見え、骨張った首筋には皺の間に垢がたまり、ぱさついて好き勝手な方向に跳ねる白髪が、せっかくの福耳を半分覆い隠していた。声は弱々しく、仕草はスローモーで、何をするにもこちらの予想の二倍の時間が掛かった。

にもかかわらず、そうしたやつれ具合に惑わされずきちんと観察すれば、顔は美男子の方だった。少なくとも昔は美男子だったに違いないと思わせる面影は残っていた。顎の輪郭はシャープだったし、彫りの深い顔つきには心惹かれる陰影があった。

家にいる時も、滅多になかったが外出する時も、例外なく博士は毎日背広を着てネクタイを締めていた。冬用、夏用、春秋兼用三着のスーツに、三本のネクタイ、六枚のワイシャツ、数字製でない文字どおりのウールのオーバーが一着、洋服ダンスの中身はそれですべてだった。一枚のセーターさえ、一本の綿ズボンさえ持っていなかった。家政婦にとっては整頓のしやすいありがたい洋服ダンスだった。

彼はこの世に背広以外の洋服があるのを知らなかったのかもしれない。他人がどんな装いをしているかなど興味はなく、まして自分の見かけにこだわって無駄な時間を消費するなど考えられなかったのだろう。朝起きて洋服ダンスを開け、クリーニングのビニールに包まれていない背広を着る、それだけで十分だった。三着の背広はどれも、ダークな色合と着古してくたびれた感じが博士の雰囲気によくマッチし、ほとんど皮膚の一部と化しているかのようでさえあった。

しかし洋服に関して言うならば、最も私を戸惑わせたのは、背広のあちらこちらにクリップで留められたメモ用紙の数々だった。それらは衿、袖口、ポケット、上着の裾、ズボンのベルト、ボタンホール等など考えつくかぎりの場所に張り付いていた。クリップのせいで背広は生地が引きつれ、型崩れを起こしていた。手でちぎったただの紙切れもあれば、黄ばんで破れかけたのもあり、それぞれに何かしら書かれていた。内容を読み取ろうとすると、近寄って目を凝らさなければならなかった。八十分の記憶を補うため、忘れてはならない事柄をメモし、そのメモをどこへやったか忘れないため、身体に張り付けているのだろうと察しはついたが、彼の姿をどう受け入れるかは、靴のサイズを答えるよりもずっと難問だった。

「まあとにかく上がってくれたまえ。僕は仕事があるからお構いできないが、君は君で自由にやってくれたらいい」

そう言って博士は私を招き入れ、そのまま書斎へ入っていった。博士が動くと、メモ用紙がこすれて、かさこそ、かさこそ、音がした。

かつて馘になった九人の家政婦仲間たちの話から、少しずつ集めた情報によると、母屋の老婦人は未亡人で、亡くなったご主人と博士が兄弟の関係にあるようだった。両親が早く他界したにもかかわらず、博士がイギリスのケンブリッジ大学にまで留学し、数学の勉強を続けられたのは、親の残した織物工場をお兄さんが苦労して大きくし、一回り年下の弟のために学費を出してくれたからだった。博士号を取り（彼は正真正銘の博士だった）、大学の数学研究所に就職も決まってようやく自立できた矢先、お兄さんは急性肝炎で死んでしまう。残された未亡人は子供がいなかったため、工場をたたみ、跡地にマンションを建て、家賃収入での暮らしをはじめる。それぞれの穏やかな生活を一変させたのは、博士が四十七歳の時巻き込まれた交通事故だった。博士の運転する車に、対向車線から居眠り運転の車が衝突し、彼は脳に回復不能のダメージを受ける。結果、研究所の職を失った。以来、数学雑誌の懸賞問題を解いてわずかばかりの賞金を稼ぐ以外収入はなく、結婚もしないまま、六十四になる現在に至るまでずっと、未亡人の援助の元から離れられずにいる、というわけらしかった。

「あんな変人の義弟が寄生虫みたいにくっついて、旦那の遺産を食い潰しているんだから、あの未亡人もお気の毒だね」

博士の数字攻撃に音を上げて一週間で馘になった古参の家政婦が、しみじみと言っていた。

外観と同じく、離れの内部もやはり寒々としていた。ダイニングキッチンと書斎兼寝室の二部屋しかないのだが、狭さよりも味気なさの方が目立っていた。家具はどれも安物で、壁紙はくすみ、廊下は気味の悪い音を立てて軋んだ。また呼び鈴だけでなくあらゆるものが壊れるか、壊れそうになっていた。トイレの小窓にはひびが入り、勝手口のドアノブは半分取れかけ、食器戸棚の上にあるラジオは、いくらスイッチを押しても鳴らなかった。

最初の二週間はどうしていいか分からないことばかりで、くたくたに疲れた。重労働はしていないはずなのに、筋肉の芯が凝り固まって身体が重かった。どんな派遣先でも、仕事のリズムをつかむまでは苦労するものだが、博士の場合は特にひどかった。普通は雇い主にあれをしなさい、これはしてはいけないと指示されているうち、自然と彼らの性格が分かってくる。集中力の配分や、トラブルの回避の仕方や、仕事の要求パターンも読めるようになる。しかし博士は私に、何も命令しなかったのだ。何もしないでいてくれることが一番の望みであるかのように、私を無視していた。

母屋の未亡人が言ったとおりにするならば、まずは昼食を作る必要があると思われた。冷蔵庫の中はもちろん、台所中の戸棚を全部覗いてみたが、湿気たオートミールの箱と四年前に賞味期限の切れたマカロニ以外、口に入れられそうな食料は見当らなかった。

私は書斎のドアをノックした。返事がなかったのでもう一度ノックした。相変わらず無反応だった。申し訳ないとは知りながら、ドアを開け、仕事机に向かっている博士の背中に声を掛けた。

「お仕事中すみません」

背中はぴくりとも動かなかった。耳が遠いか、耳栓をしているかのどちらかだろうと思い、私は博士に近づいた。

「お昼には何を召し上がりますか。お好きなもの、お嫌いなもの、アレルギーがおありになるもの、教えていただけると助かるのですが、いかがでしょう」

書斎は紙の匂いがした。風通しが悪いせいか、匂いが部屋の隅に淀んでいた。窓の半分は本箱でふさがれ、棚からあふれた書物がそこかしこに山積みになり、壁ぎわのベッドはマットレスが擦り切れていた。机の上にはノートが一冊広げてあるだけで、コンピューターもなく、博士は筆記用具さえ手にしていなかった。ただ宙の一点を見つめているだけだった。

「ご希望がなければ、適当にご用意させていただきますが、かまいませんか？　ご遠慮なく何でもおっしゃって下さい」

何枚か身体に留められたメモが目に入った。《……解析的方法の失敗が……》《……ヒルベルト、第13問題の……》《……楕円曲線の解を……》。意味不明の数字や記号や言葉の断片に混じり、一枚だけ私にも読み取れるメモがあった。染みだらけで四隅は折れ曲がり、クリップは錆付いて、かなり長い年月そこに留められているのが分かった。

《僕の記憶は80分しかもたない》

そう書いてあった。

「言うべきことなど何もない」

不意に博士が振り向き大きな声を出した。

「僕は今考えているんだ。考えているのを邪魔されるのは、首を絞められるより苦しいんだ。数字と愛を交わしているところにずかずか踏み込んでくるなんて、トイレを覗くより失礼じゃないか、君」

私はうな垂れ、何度も謝ったが、彼に言葉は届いていなかった。博士は再び宙の一点へ戻っていった。

第一日め、まだ何も仕事をしていないうちから怒鳴られたのは、ダメージが大きかった。自分が十個めの星印にならなければいいがと案じた。〝考えて〟いる間は、何があっても邪魔してはいけない、ということを私は肝に銘じた。

しかし博士は、一日中考えているのだった。たまに書斎から出てきて、食卓へ座っても、洗面所でうがいをしている間でも、身体をほぐす奇妙な体操をはじめても、相変わらず考え続けていた。目の前にある食事を機械的に口に運び、よく噛みもせず飲み込み、ふわふわした足取りで歩いた。バケツのしまってある場所や湯沸器の使い方や、分からないことがあっても聞けなかった。私は余計な音を立てないよう細心の注意を払い、息をするのさえ遠慮し、慣れない家の中で右往左往しつつ、彼の頭が小休止するのを待った。

ちょうど二週間が過ぎようとする金曜日だった。夕方六時、博士はいつもの調子で食卓についた。ほとんど無意識の状態で食べるため、骨を取ったり殻をむいたりする料理は不向きと考え、スプーン一本で野菜も蛋白質も一緒に取れるよう、クリームシチューを用意していた。

両親と早く死に別れたためか、食事のマナーは感心できなかった。いただきますの一言を聞いた試しはなく、一口ごとに料理をこぼし、汚らしく丸めたナプキンで耳の穴を拭いたりした。味に文句を言わない代わり、傍らに控えている私と会話を楽しもうとする気配もなかった。

ふと袖口に、昨日まではなかった真新しいメモが留まっているのを見つけた。スプーンをお皿に突っ込むたび、シチューに浸りそうになっていた。

《新しい家政婦さん》

小さくてか弱い字だった。その後ろに女の人の顔が描いてあった。ショートヘアで頬が丸く、唇の横にほくろがあり、幼稚園児並の絵ではあったが、私の似顔だとすぐにぴんときた。

シチューをすする音を聞きながら、私が帰ったあと、記憶が消えないうちにと急いで博士がそれを描いている様子を思い浮かべた。その一枚のメモは、彼が私のために、考えるための貴重な時間を中断してくれた証拠だった。

「お代わりはいかがですか？　たっぷりとこしらえましたからね、いくらでもお注ぎしますよ」

私は油断し、心安く声を掛けた。返ってきたのは答えではなくげっぷだった。博士はちらりとこちらを見やりもせず、書斎へ消えていった。シチュー皿には、人参だけが残っていた。

週が明けた月曜日、私はいつものとおり自分が何者であるかを名乗り、袖口のメモを指差した。博士は似顔絵と私を交互に見比べ、メモの意味を思い出すためしばらく黙っていたが、やがてふむふむと声を漏らしたのち、靴のサイズと電話番号を尋ねた。

しかしすぐに、先週までとはどこか様子が違うと感付いた。博士が私にびっしり数式の書かれた紙の束を見せ、これを雑誌『JOURNAL of MATHEMATICS』へ郵送するよう頼んだからだ。

「ちょっとすまないが、君……」

書斎で怒鳴り付けた口調からは思いも寄らない、丁寧な物腰だった。初めて私に向けられた要求だった。彼の頭はもう、〝考えて〟はいなかったのだ。

「ええ、お安いご用です」

私は封筒に、どう発音するのかさえ分からないまま、間違えないよう一字一字アルファベットを書き写し、懸賞問題応募係御中とし、張り切って郵便局まで駆けて行った。

考えていない時の博士は、食堂の窓辺に置かれた安楽椅子に寝そべっている時間が多かったので、ようやく私は書斎の掃除をすることができた。窓を開け放ち、布団と枕を庭に干し、掃除機をフル回転させた。乱雑で秩序のない部屋だったが、居心地は悪くなかった。仕事机の下に落ちた大量の抜け毛を掃除機で吸い取っていても、崩れた書物の間から、黴の生えたアイスキャンディーの棒やフライドチキンの骨が現われても、さほどぎょっとはしなかった。

たぶんそこに、かつて味わった経験のない種類の、静けさが宿っていたからだろうと思う。ただ単に物音がしないというのではなく、数の森をさ迷う時、博士の心を満たす沈黙が、抜け毛や黴に侵されることなく、幾重にも塗り込められているのだった。森の奥に隠れる湖のように、透明な沈黙だった。

居心地は悪くなくても、家政婦として興味をそそられる部屋かと問われると、首を横に振らざるを得なかった。主の歴史を物語る微笑ましい小物、秘密めいた写真、ため息の出る装飾品等など、家政婦が想像を巡らせ、ささやかな楽しみを味わうのに役立つものは、何一つ見当らなかった。

私は本箱にはたきを掛けた。『連続群論』、『代数的整数論』、『数論考究』、……シュバレー、ハミルトン、チューリング、ハーディー、ベイカー……。これほどたくさんの本があるのに、読みたいと思える本が一冊もないのは不思議だった。半分は外国語で、背表紙を読み取るのさえ不可能だった。机には大学ノートが積み上げてあり、ちびた4Bの鉛筆とクリップが数個転がっていた。知的労働の場所とは思えないくらい殺風景な机だった。わずかに消しゴムの滓だけが、昨日までの仕事ぶりを示しているに過ぎなかった。

数学者なら、普通の文房具店には売っていない高価なコンパスとか、複雑な装置のついた物差しでも持っていないのだろうか、と思いながら消しゴムの滓を捨て、ノートの山を整え、クリップを一か所にまとめた。布張りの椅子は、お尻の形どおりにへこみができていた。

「君の誕生日は何月何日かね」

その日は夕食が済んでも博士はすぐ書斎へは行かず、後片付けをする私に気を遣って何か話題を探している様子だった。

「二月二十日です」

「ほう……」

博士はポテトサラダの中から人参だけを選り分け、残していた。私は食器を下げ、テーブルを拭いた。考えていない時でもやはり、テーブルは食べこぼしで汚れていた。もうすっかり春のはずなのに、日が暮れてから急に冷え込み、食堂の隅では石油ストーブが燃えていた。

「いつもあんなふうに、雑誌に論文を応募なさっているんですか？」

私は尋ねた。

「論文なんて大層なものじゃない。アマチュアの数学マニア向け雑誌に載っている問題を解いて、楽しんでいるだけだよ。運がよければ、お金がもらえる。大富豪の数学愛好家が、賞金を出しているんだ」

博士は自分の身体をあちこち点検し、左ポケットの口に留めたメモに視線を落とした。「そうか……。今日『JOURNAL of MATHEMATICS』の№37へ、証明を送ったのか……。うん、よしよし」

午前中、私が郵便局へ行ってから、とうに八十分以上が経っていた。

「あっ、しまった。申し訳ありません。速達にすべきでした。一番じゃないと賞金がもらえませんよね」

「いいや、速達になどする必要はない。もちろん、誰よりも早く真実に到達するのは大事だが、証明が美しくなければ台無しだ」

「証明に、美しい、美しくないの区別なんてあるんですか」

「もちろんだ」

博士は立ち上がり、流しで洗い物をしている私の顔を覗き込むようにして断言した。

「本当に正しい証明は、一分の隙もない完全な強固さとしなやかさが、矛盾せず調和しているものなのだ。たとえ間違ってはいなくても、うるさくて汚くて癇に障る証明はいくらでもある。分かるかい？　なぜ星が美しいか、誰も説明できないのと同じように、数学の美を表現するのも困難だがね」

これほどたくさん話し掛けてくれる博士を白けさせたくなくて、私は洗い物の手を止め、うなずいた。

「君の誕生日は二月二十日。２２０、実にチャーミングな数字だ。そしてこれを見てほしい。僕が大学時代、超越数論に関する論文で学長賞を獲った時にもらった賞品なんだが……」

博士は腕時計を外し、よく見えるよう私の目の前まで近付けた。彼のファッションセンスとは不釣り合いな、外国製の上等な時計だった。

「まあ、立派な賞をお獲りになったんですねえ」

「そんなことはどうでもよろしい。ここに刻んである数字が読めるかな」

文字盤の裏側に〝学長賞　№２８４〟とあった。

「歴代２８４番めの栄誉、ということでしょうか」

「恐らくそうなんだろう。問題なのは２８４だ。さあ、皿なんか洗っている場合じゃない。２２０と２８４なんだよ」

博士は私のエプロンを引っ張り、食卓に座らせると、背広の内ポケットから４Ｂのちびた鉛筆を取り出し、折り込み広告の裏に二つの数字を書いた。

220

284

なぜか微妙に離れていた。

「どう思う？」

私は濡れた手をエプロンで拭いながら、困った展開になりつつあるのを感じた。張り切っている博士の期待に応えたくはあったが、どう思うと言われても、とうてい自分には、数学者を喜ばせるような答えが出せるわけがなかった。それらはただの、数字だった。

「ええ、そうですねえ……」

私はもじもじして口籠もった。

「どちらも三桁で……うん、何と言っていいか……似通った数字じゃないでしょうか。大して違わないですよね。例えばスーパーのお肉売場で、合挽き２２０グラム入りのパックと、２８４グラム入りのパックがあったとしても、私にとっては同じようなものです。どっちでもいいから、日付の新しい方を買いますよ。ぱっと見た感じ、雰囲気が似ているんです。百の位は同じだし、どの位の数も偶数ですし……」

「鋭い観察だよ、君」

腕時計の革ベルトを揺らしながら力を込めて博士が誉めたので、かえって私は戸惑った。

「直感は大事だ。カワセミが一瞬光る背びれに反応して、川面へ急降下するように、直感で数字をつかむんだ」

博士は椅子を引き寄せ、二つの数字にもっと近付こうとした。博士は書斎と同じ、紙の匂いがした。

「約数は知っているね」

「はい、たぶん。昔、習ったことがあるような気が……」

「２２０は１で割り切れる。２２０でも割り切れる。余りは出ない。だから、１と２２０は２２０の約数だ。自然数は必ず、１と自分自身を約数に持っている。さて、他には何で割れる？」

「2とか、10とか……」

「その通り。ちゃんと分かっているじゃないか。では、220と284の約数で、自分自身を除いたものを書いてみよう。こんなふうに」

220：1　2　4　5　10　11　20　22　44　55　110

142　71　4　2　1：284

博士の書く数字は丸みがあって、心持ち皆、うつむき加減だった。柔らかい芯が粉になって数字の回りに散っていた。

「暗算で全部、約数がお分かりになるのですか？」

「いちいち計算しているわけじゃない。君が使ったのと同じ直感を働かせているだけだ。さあ、次の段階へ進もう」

博士は記号を書き加えていった。

220：1＋2＋4＋5＋10＋11＋20＋22＋44＋55＋110＝

＝142＋71＋4＋2＋1：284

「計算してごらん。ゆっくりで、構わないから」

博士は私に鉛筆を手渡した。私は折り込み広告の余白に筆算した。予感と優しさに満ちた口調だったので、テストされている気分にならずにすんだ。むしろ、さっきまで陥っていた困った展開を脱し、正しい答えを導き出すのは自分しかいないのだ、という使命感がわいてくるのを感じた。

間違っていないかどうか、三回繰り返して確かめた。いつしか日が暮れ、夜が訪れようとしていた。時折流しで、洗いかけの食器から滴り落ちる水の音が聞こえた。博士は傍らでじっと私を見守っていた。

「はい、できました」

220：1＋2＋4＋5＋10＋11＋20＋22＋44＋55＋110＝284

220＝142＋71＋4＋2＋1：284

「正解だ。見てご覧、この素晴らしい一続きの数字の連なりを。２２０の約数の和は２８４。２８４の約数の和は２２０。友愛数だ。滅多に存在しない組合せだよ。フェルマーだってデカルトだって、一組ずつしか見つけられなかった。神の計らいを受けた絆で結ばれ合った数字なんだ。美しいと思わないかい？　君の誕生日と、僕の手首に刻まれた数字が、これほど見事なチェーンでつながり合っているなんて」

私たちはただの広告の紙に、いつまでも視線を落としていた。瞬く星を結んで夜空に星座を描くように、博士の書いた数字と、私の書いた数字が、淀みない一つの流れとなって巡っている様を目で追い掛けていた。

2

夜、家へ帰り、息子を寝かし付けてから、自分でも友愛数を探してみようと思い立った。博士が言う通り、本当に稀なペアなのかどうか確かめてみたかったし、約数を書き出して足算するだけなら、高校を途中でやめた自分にもできると考えたからだ。

しかしすぐに、いかに無謀な挑戦をしているかを悟った。博士が推奨するところの直感を頼りに、適当に数字を選ぶのだが、どれもこれも失敗だった。

はじめのうち偶数の方が可能性も高く、約数も探しやすい気がして、二桁の偶数ばかり試してみた。しばらくして、埒が明きそうにないので奇数にも範囲を広げ、がんばって三桁も導入してみたが進展はなかった。どの数字たちもよそよそしく背を向けるばかりで、ほんの少し指先だけが触れ合うほどの組合せさえ、出現しそうになかった。

やはり、博士の言っていることは本当だった。私の誕生日と博士の手首は、広大な数の世界で苦労の末に巡り合い、お互いが相手をすっぽり抱擁し合いながら、友愛を育んでいるのだ。

いつしか手元にある紙は好き勝手な数字で埋まり、余白もなくなっていた。稚拙ではあっても一応筋道の通った作業をしていたはずなのに、仕舞いには何が何だか分からなくなってきた。ただ一つだけ、小さな発見をした。28の約数を足すと、28になった。

28：1＋2＋4＋7＋14＝28

だから何がどうなるという訳ではない。私が試した中で、同じように約数の和が自分自身になる数は他に見当らなかったが、もしかしたらよくあるパターンなのかもしれない。発見などと大げさな言葉を使うのがいかに滑稽かも承知している。けれど仕方ないではないか。私は発見したのだから。

意味不明の乱雑さの中で、その一行だけは、何者かの意志によって貫かれたように、ぴんと張り詰めていた。触れると痛いほどに、力がみなぎっていた。

ベッドに入って時計を見ると、博士と二人で友愛数と戯れてから、とうに八十分以上が過ぎていた。友愛数など彼にとっては単純極まりない幼稚な事実だろうに、博士は今初めてその美しさに気づいたとでもいうかのような驚きに打たれていた。王の前で跪く、従者のようでもあった。

けれど博士はもう、私たちの間に隠れている友愛数の秘密を忘れてしまっただろう。２２０が、誰の何に由来する数字かも思い出せなくなっているだろう。そう思うと、なかなか眠りに付けなかった。

家が小さく、来客がないばかりか電話さえ一度として鳴らず、作る食事は、食べ物に興味のない小食の男用一人分だけということで、博士のケースは家政婦の労働基準からすれば楽な部類だった。決められた時間内でできるだけ効率のよい働きをするよう求められてきたかつての経験と比べ、掃除でも洗濯でも料理でも、丁寧に時間を掛けてできるのがうれしかった。博士が新しい懸賞問題に取り組みはじめる時期を見極め、邪魔をしないコツもつかめてきた。私は食卓を心行くまで専用ニスで磨き上げ、ベッドのマットレスをパッチワークで繕い、どううまく誤魔化して人参を食べてもらおうかと知恵を絞った。

ただ一番の困難は、博士の記憶の仕組みを把握することだった。未亡人によると、彼の記憶は一九七五年で停止しているらしいが、例えば彼にとっての昨日はいつになるのか、明日を予測できるのか、この不自由さがどれくらいの苦痛をもたらしているのか分からなかった。

何日経っても私の存在を覚えられないのは間違いないようだった。袖口に留めた似顔絵付きのメモは、私が初対面の人間でない事実を博士に教えるだけで、一緒に過ごした時間を蘇らせる手助けにはならなかった。

買物に出る時はできるだけ一時間二十分以内で戻ってくるように努めた。数学者にふさわしく、脳味噌に設置された八十分の計測器は時計以上に正確だった。「行ってまいります」と玄関を出てから、一時間十八分後に帰宅すれば、「やあ、お帰り。ご苦労だったね」と言って迎えてくれた。ところが一時間二十二分かかってしまうと、第一声は「君の靴のサイズはいくつかね」に逆戻りだった。

私は自分が知らず知らずのうちに不用意な発言をしてはいないかと、気掛かりだった。「今朝の新聞に出ていましたけど、宮沢首相が……」と言い掛けて口をつぐんだり（博士の知っている首相は三木武夫までだった）、「夏のバルセロナオリンピックまでに、テレビを買ったらいかがですか」などとつい言ってしまったりするたび（彼にとってオリンピックはミュンヘンが最後のはずだった）、後悔した。

しかし表面上、博士は気にしている様子を見せなかった。会話がついて行けない方向へ進んだ時は、怒りもせず、焦りもせず、再び自分が発言できる状態になるまで待つだけのことだった。ただ、私の身の上については尋ねようとしなかった。この仕事をはじめてどれくらいになるのか、どこの出身か、家族はいるのか、一切聞かなかった。たぶん、同じ質問を何度もしてしまい、煩わしい思いをさせるのではと危惧していたからだろう。

つまり私たちが何の心配もなく話せるのは、数学についてだけだった。学校へ行っていた頃から数学は教科書を見ただけで寒気がするくらい嫌いだったが、博士が教えてくれる数の問題は、素直に頭に入った。家政婦として雇い主の興味に合わせようとしたからではなく、教え方が上手だったせいだ。数式を前にして彼が発する驚嘆のため息や、美を讃える言葉や、瞳の輝きは、それだけで意味深かった。

一度教えたことを忘れてくれるおかげで、遠慮なく何度でも同じ質問ができるのも重要なポイントだった。普通の生徒が一回で分かることを、私は五回、十回説明してもらってようやく理解できる有様だった。

「友愛数を最初に見つけた人は立派ですね」

「そうとも。ピュタゴラスだよ。紀元前六世紀の話だ」

「そんなに昔から数字はあったんですか」

「もちろん。江戸時代の終わり頃にでも生まれたと思っていたのかね。数は人間が出現する以前から、いや、この世が出現する前からもう存在していたんだ」

私たちが話をするのは食堂と決まっていた。博士は食卓についているか、安楽椅子で寛いでいる。私はガスレンジの鍋をかき混ぜているか、流しで食器を洗っている。

「はあ、そうなんですか。数字は人間が発明したものかと思っていました」

「いいや違う。自分たちで発明したのなら、誰も苦労はしないし、数学者だって必要ない。数の誕生の過程を目にした者は一人もいない。気が付いた時には、もう既にそこにあったんだ」

「ですから頭のいい人たちが知恵を絞って、数の仕組みを解明しようとがんばっておられるわけですね」

「数を生み出した者に比べ、我々人間はあまりにも愚鈍だ」

博士は首を横に振り、安楽椅子に寝そべって、数学雑誌を開いた。

「お腹が空くとますます愚鈍になりますからね。たっぷり食べて栄養を頭の隅々にまで行き渡らせましょう。もう少し待って下さい。すぐ用意できます」

私は人参をすりおろし、挽肉に混ぜてハンバーグを作っていた。博士に見つからないよう、そっと人参の皮をごみ箱に捨てた。

「220と284以外の友愛数を自分で見つけようと思って、最近毎晩頑張っているんですが、駄目ですね」

「次に小さい友愛数は、1184と1210だよ」

「四桁ですか？　じゃあやっぱり、到底私には無理だわ。息子にも手伝わせたんです。約数を見つけるのはちょっと難しかったようですけれど、足算はできますから」

「君、息子がいるのか？」

「はい……」

博士は椅子から身を起こし、驚いた声を上げた。弾みで雑誌が床へ滑り落ちた。

「いくつだ」

「十歳です」

「十だって？　まだほんの小さな子供じゃないか」

みるみる博士の表情が曇り、落ち着きをなくしてゆくのが分かった。私はハンバーグのたねを混ぜる手をゆるめ、彼が10という数字についていつものように何かしら語ってくれるのを待った。

「で、息子は今、どこで何をしている」

「さあ、どうでしょうか。この時間でしたら、学校から帰って、宿題もせずに飛び出して行って、公園で友だちと野球でもしていると思いますけど」

「さあ、どうでしょう、だって？　呑気すぎるよ、君。もうじき日が暮れる時間だぞ」

いくら待っても、10の秘密が解き明かされる気配はなかった。博士にとって、この場合の10は、小さな子供を表わす以外の意味は含まれていないようだった。

「大丈夫ですよ。毎日のことで慣れてますから」

「毎日？　毎日君は子供を放り出して、こんなところでハンバーグなどこねているのか」

「放り出しているわけじゃありませんよ。ただ、これが仕事なので……」

なぜ博士がそれほどまで息子にこだわるのか分からないまま、私は胡椒とナツメグをボウルの中に振り入れた。

「君がいない間、誰が面倒を見ているんだ。旦那が早く帰ってくるのか？　ああ、そうか、お祖母さんがいるんだな」

「いいえ。残念ながら、主人もお祖母さんもおりません。息子と二人暮しなんです」

「じゃあ、息子はたった一人で留守番しているのか？　暗い部屋でたった一人、空腹を抱え、母親を待っているのか？　母親は他人の晩飯を作っている。僕の晩飯だ。ああ、なんてことだ。いかん。これはいかん」

動揺を抑えきれないように博士は立ち上がると、髪をかきむしり、身体中のメモをガサガサいわせながら食卓の周囲を歩き回った。ふけが飛び散り、床が軋んだ。私は煮立ってきたスープの火を止めた。

「ご心配には、及びませんよ」

できるだけ穏やかに、私は言った。

「もっとうんと小さい頃から、ずっと二人でこうしてやってきたんです。十歳になれば、何でも一人でできます。ここの電話番号も教えてありますし、困った時はアパートの下の階に住んでいる大家さんが助けてくれる約束に……」

「いかん、いかん、いかん」

食卓を回るスピードを早め、博士は私の言葉を遮った。

「子供を独りぼっちにしておくなんて、いかなる場合にも許されん。もし、ストーブが倒れて火事になったらどうする？　もし飴玉を喉に詰まらせたら、誰が助けてやる？　ああ、考えただけでも恐ろしい。僕には耐えられない。すぐに帰りなさい。母親なら、自分の子供のために食事を作ってやるべきだ。さあ、今すぐ、家へ帰るんだ」

　博士は私の腕をつかみ、玄関まで引っ張って行こうとした。

「もう少し、待って下さい。あとこれを丸めて、フライパンで焼くだけなんです」

「そんなもの、どうだっていい。ハンバーグを焼いている間に、子供が焼け死んだらどうするつもりなんだ。いいかね。明日からは、息子をここへ連れて来るんだ。学校から直接、ここへ来るようにすればいい。ここで宿題をすれば、ずっと母親のそばに居られるじゃないか。明日になったらどうせ忘れてしまうと、高を括っているんじゃないだろうね。見くびってもらっちゃ困る。僕は忘れないよ。約束を破ったら、承知しないぞ」

　博士は袖口に留まっている《新しい家政婦さん》のメモを外し、内ポケットの鉛筆で、似顔絵の後ろにこう書き加えた。《と、その息子10歳》。

　私は台所を片付けるどころか、満足に手を洗う暇もなく、生肉の臭いが残ったまま、追い出されるようにして離れを後にした。考えている博士の邪魔をして怒られた時より、ずっと迫力があった。怒りの底に、怖れが潜んでいる分、凄味が感じられた。もしアパートが火事になっていたらどうしようなどと思いながら、私は走って帰った。

本当に私が警戒心を解き、博士を信用するようになったのは、博士と息子が出会った、最初の瞬間からだった。

前の晩約束したとおり、私は息子に地図を渡し、学校から真っすぐ博士の家へ来るよう言い含めていた。仕事場に子供を引き入れるのは組合の就業規則に引っ掛かるだろうし、気は進まなかったのだが、あの博士の迫力には逆らえなかった。

ランドセルを背負ったままの息子が玄関に姿を現わした時、博士は笑顔を浮かべ、両腕を一杯に広げて彼を抱擁した。《……と、その息子10歳》のメモを指し示し、事の成り行きを説明する暇もなかった。その両腕には、目の前にいるか弱い者をかばおうとする、いたわりがあふれていた。自分の息子がこんなふうに誰かに抱擁されている姿を目のあたりにできるのは、幸せなことだった。それどころか、ああ、自分もこんなふうに博士から迎えられたいなあ、という気にさえなるのだった。

「遠い所、よく来てくれた。ありがとう、ありがとう」

博士は言った。初対面の私に毎朝必ず繰り出す、数字の質問さえしなかった。

息子は思いがけない歓迎ぶりに困惑し、身体を強ばらせていたが、口元だけはゆるませ、彼なりに相手の熱意に応えようとしていた。それから博士は息子の帽子を取り（タイガースのマーク入り帽子)、頭を撫でながら、本名を知るよりも前に、彼にうってつけの愛称を付けた。

「君はルートだよ。どんな数字でも嫌がらず自分の中にかくまってやる、実に寛大な記号、ルートだ」

早速博士は袖口のメモの続きにその記号を書き加えた。

《新しい家政婦さん　と、その息子10歳　√》

ある時私は博士の負担を少しでも軽くするために、名札を作った。彼が自分の身体にメモを貼るだけでなく、こちらも自分が何者かを示す名札を付けていれば、いちいち余計な気遣いをし合わなくてもいいと思ったのだ。息子は校門を出ると、学校の名札と√の名札を付け替えるようにした。どんなにぼんやりしていても、否応なく目に飛び込んでくる立派な名札だった。しかし思ったほどの変化は生じなかった。博士にとってやはり私は、いつまでたっても数字の右手でそろそろと握手する相手であり、息子はただもうそこにいるだけで、抱擁すべき相手だった。

すぐに息子は博士独自の歓迎方法に慣れ、それを喜ぶようになった。自ら帽子を脱ぎ、頭のてっぺんを自慢げに突き出し、自分がいかにルートにふさわしいかを示した。歓迎の言葉とともに、ルート記号の偉大さを讃えるのを、博士は決して忘れなかった。

博士が初めて、私の作った食事に手を合わせ、「いただきます」と言ってくれたのも、息子と三人で取った最初の夕食の席だった。夜六時に一人分の食事を用意し、後片付けを終えて七時に帰るのが契約だったが、息子が加わった途端、博士はこのスケジュールに異議を唱えた。

「お腹を空かせた子供の前で、大の大人が一人だけパクパクものを食うなど、もってのほか。仕事が終わって、家に帰ってから作っていたのでは、ルートが晩ご飯にありつけるのは八時になってしまう。それはいかん。非効率的であるだけでなく、道理にも合わない。子供は八時には、もうベッドへ入っていなくちゃ駄目だ。大人には子供の睡眠時間を削る権利などありはしない。人類が誕生して以来、子供はいつの時代でも、眠っている間に育つものなのだ」

元数学者にしては科学的根拠のない異議だった。取り敢えず私と息子の夕食代は、お給料から引いてもらうよう、あとで組合長と相談することにした。

食卓で博士は見事なマナーを見せた。姿勢を正し、余計な音は立てず、テーブルにもナプキンにも、スープ一滴こぼさなかった。これほど立派に振る舞えるのに、どうして私と二人の時にはあんなにも不作法なのか、不思議だった。

「何ていう名前の学校へ通っているのかな」

「担任の先生は優しいかい」

「今日の給食は何だった？」

「将来は何になるんだい？　おじさんに教えてくれないかな」

チキンのソテーにレモンを絞り、付け合わせのインゲンを取り分けながら、博士はルートにいろいろな質問をした。過去や未来に関わる質問でも躊躇しなかった。食事の場をできるだけ和ませようと努めているのが伝わってきた。ルートの答えがどんなに素っ気なくとも、熱心に耳を傾ける態度は崩さなかった。初老の元数学者と、三十前の子持ち家政婦と、小学生の男の子が、気まずい沈黙に悩まされず夕食を一緒にできたのは、博士のおかげだった。

だからと言って、ただ単に子供のご機嫌を取っていたのではなかった。テーブルに肘をついたり、食器をぶつけたり、ルートが何かマナー違反をすると（博士自身が普段やっていることばかりだったが）、さり気なく注意もした。

「たっぷり食べなくちゃいけないよ。子供は大きくなるのが仕事だ」

「僕、クラスで一番背が低いんだ」

「気にすることはない。今はエネルギーを蓄える時で、それが爆発すれば、一気に大きくなれる。そのうち骨の伸びる音が、ギシギシ聞こえてくるようになるよ」

「博士もそうだった？」

「いや、残念ながら、おじさんの場合は、どうやら、余計な方向にエネルギーを無駄遣いしてしまったらしい」

「余計な方向、って？」

「一番の友だちがいたんだが、ちょっとした事情があって、一緒に缶けりをしたり、野球をしたり、身体を動かす遊びができなかったんだ」

「友だちは、病気だったんだね」

「反対だよ。病気どころか、大きくて、強くて、びくともしない。でも、彼の住んでいる場所が頭の中だったから、頭の中だけで遊ぶしか仕様がなかった。エネルギーをそっちに注ぎ込みすぎて、骨にまで回らなかったようだ」

「あっ、分かった。その友だちは数字だね。博士は算数の偉い先生だって、ママから聞いたよ」

「君は賢いなあ。実に勘がいい。そう、数字より他に、友だちがいなかったんだ。だから子供のうちは、骨を活発に活動させねばならない。いいかい？　嫌いなものを残すようではいけないよ。お腹が一杯にならない時は、遠慮せずおじさんの分を取って構わないんだからね」

「うん、ありがとう」

ルートは普段と違う夕食を大いに楽しんでいた。博士の質問に答え、彼を満足させるためにご飯をお代わりし、その合間には、好奇心を抑えきれない様子で部屋をきょろきょろ見回したり、気づかれないよう用心しつつ、背広のメモにそっと目をやったりした。

明日はサラダに生の人参を入れてみよう。そうしたら博士はどうするだろう、などと意地の悪い計画を思い付いた自分がおかしくて、私は含み笑いをしながら、二人の会話に耳を傾けていた。

生まれた時からルートは、抱擁されることの少ない赤ん坊だった。産院の、小舟のような形の透明なベッドに収まった赤ん坊を見た時、自分の中にわいたのは、喜びよりも怖れに近いものだった。生まれてからまだ数時間しか経っておらず、まぶたにも、耳たぶにも、踵にも、さっきまで羊水に浸かっていたふやけた感じが残っていた。目は半ば閉じられていたが、眠ってはいないらしく、大きすぎて身体に馴染まない産着からはみ出た手足を、小刻みに動かしていた。まるで、間違った場所に置き去りにされた不満を、誰かに訴えているかのようだった。

新生児室のガラスに額を押し当てながら、私もまたその誰かに向かい、質問をぶつけていた。どうしてあなたには、この赤ん坊が私の子供だと分かるのですか、と。

私は十八歳で、無知で、独りぼっちだった。分娩台に上がるまで続いた悪阻《つわり》のために頰はこけ、髪は汗で嫌な臭いがし、パジャマには破水した時の染みがついたままだった。

二列に十五ほど並んだベッドの中で、目覚めているのは彼だけだった。夜が明けるには、もう少し間があった。詰め所の明かりの中にいる白衣の人々以外、廊下にもロビーにも人影はなかった。赤ん坊は握り締めていた手を開き、またぎこちなく指を折り畳んだ。爪は理不尽なほどに小さく、青黒く変色していた。私の粘膜を引っ掻いた血が、爪の間で固まって濁っているのだった。

「すみません。ちょっとお願いが……」

ふらつく足で、私は詰め所へ急いだ。

「子供の爪を、切ってやってほしいんです。元気に手を動かすものですから、自分の顔を傷つけるんじゃないかと心配で……」

あの時私は、自分が優しい母親であることを、自分自身に見せようとしていたのだろうか。あるいはただ、呼び起こされた粘膜の痛みに耐えられなかっただけかもしれない。


私が物心ついた時、父親の姿は既になかった。母は結婚できない男の人を愛し、私を生んで一人で育てた。

母は結婚式場で働いていた。雑用係からスタートし、簿記、着付、フラワーアレンジ、テーブルコーディネートなど、でき得るかぎりの資格を取って、最後には営業主任にまでなった。負けん気の強い人で、娘の私が他人から、父親のいない貧乏な家の子、と見られるのを何より嫌がった。実情は貧乏でも、見た目と心は豊かでいられるよう、精一杯の努力をした。衣装部に出入りする業者から、ドレスの端切れを分けてもらい、私の洋服は全部手作りし、式場のオルガン奏者と交渉して割安でピアノを習わせ、披露宴の後の余った花を持ち帰り、アパートの窓辺がいつも華やかになるよう気を配った。

私が家政婦になったのは、小さい頃から母に代わって家事をやっていたからだ。二歳の頃には、粗相をしたパンツをお風呂の残り湯で自分で洗っていたし、初めて包丁を握ってハムを刻み、チャーハンを作ったのは、小学校に入る前だった。ルートの歳にはもう、家事全般はもちろん、電気料金の振込みから町内会の集まりに至るまで、何でもこなしていた。

母が私に語って聞かせるのは、ハンサムで立派な父の姿ばかりだった。一言の悪口も耳にしたことがなかった。飲食店を経営する実業家だったらしいが、具体的な情報は意図的に隠され、都合のいい言葉だけが繰り出された。すらりと背が高く、英語が堪能で、オペラに造詣が深く、誇りと謙虚さを合わせ持ち、会う人すべてを包み込む笑顔の持ち主……。

私のイメージの中で父は、美術館の彫刻のように、ポーズを決めて立っていた。いくら私がその像に近寄っていっても、瞳はどこか遠くを見やったままで、こちらに手を差し伸べる気配もなかった。

母の言うとおりなら、なぜ私と母を放り出したまま、経済的援助さえしてくれないのだろうかと不思議に感じ出したのは、思春期になってからだった。けれどその頃には父親がどんな人間であろうが、どうでもよくなっていた。母の語る幻想に、黙って付き合うだけだった。

母の幻想を打ち砕き、彼女が築き上げてきた端切れの洋服やピアノや花々を目茶苦茶に破壊したのは、私の妊娠だった。高校三年に進級して間もなくの出来事だった。

相手はアルバイト先で知り合った、電気工学の勉強をする大学生だった。物静かで教養豊かな青年だったが、二人の間に起きたことを受け止めるだけの度量はなかった。私を魅了した、電気工学についての神秘的な知識は何の役にも立たず、彼はただの愚かな男になって、私の前から姿を消した。

　父親のいない子供を産む点では二人同じなのに、あるいは同じだからこそ、どんな方法を用いても母の怒りは鎮まらなかった。苦しみと嘆きの叫びに貫かれた怒りだった。彼女の感情があまりにも強烈なために、自分の気持がどうなっているのかを、見失うほどだった。妊娠二十二週を過ぎてから、私は家を出た。以来、母とは音信不通となった。

　産院から、母子成育住宅という名のついた公立アパートへ赤ん坊を連れ帰った時、迎えてくれたのは寮母さん一人だった。産院でもらったへその緒を入れた木箱に、私は一枚だけ残していた彼の父親の写真を、小さく折り畳んで仕舞った。

　乳幼児を預かる保育所の抽選に当たると、迷わずあけぼの家政婦紹介組合の面接試験を受けた。私が持っているささやかな能力を生かせる場所は、そこ以外どこにもなかった。

　ルートが小学校へ入る直前、母とは和解した。突然、ランドセルが送られてきたのだ。母子成育住宅を出て、本当の意味で自立できた頃だった。相変わらず母は、結婚式場の主任として頑張っていた。

　ぎくしゃくした感情が薄れ、お祖母さんが一人身近にいるだけで、こんなにも安心なものかと感じはじめた矢先、脳内出血で母は死んだ。

だから私は、ルートが博士に抱擁されるのを見て、ルート以上にうれしかったのだ。

ルートが加わった三人での生活のリズムは、すぐに軌道に乗った。夕食が三人分になる以外、私の仕事に変化はなかった。一番忙しいのは金曜日だった。週末用の料理を準備し、冷凍しておかなければならなかったからだ。例えば、ミートローフとマッシュポテト、煮魚と青菜、それらをどういう組合せで、どんな手順で解凍したらいいか、くどいほどに説明するのだが、結局彼は最後まで電子レンジの操作を習得できなかった。

なのに月曜の朝来てみると、用意しておいた料理はきれいになくなっていた。ミートローフも煮魚も電子レンジで解凍され、胃袋に納まり、汚れた皿は洗われて食器戸棚に仕舞われていた。私がいない間、未亡人が手助けしているのは間違いなかった。しかし私の仕事中に、彼女が姿を見せることは決してなかった。母屋との行き来をあれほど厳しく禁止するのは何故なのか、ふに落ちなかった。未亡人との付き合い方が、私にとっての新たな難問だった。

博士にとっての難問は、相変わらず数学だった。長時間の集中を要求される問題に取り組み、しかもそれを解いて懸賞金まで獲得するのだから、素晴らしいことだと私が誉めても、喜ばなかった。

「こんなもの、ただのお遊びにすぎない」

謙遜するというよりは、淋しげな調子で彼は言った。

「問題を作った人には、答えが分かっている。必ず答えがあると保証された問題を解くのは、そこに見えている頂上へ向かって、ガイド付きの登山道をハイキングするようなものだよ。数学の真理は、道なき道の果てに、誰にも知られずそっと潜んでいる。しかもその場所は頂上とは限らない。切り立った崖の岩間かもしれないし、谷底かもしれない」

夕方、ルートの「ただいま」の声が聞こえると、どんなに数学に熱中していても書斎から出てきた。考えている時間を侵されるのをあれほど憎んでいたのに、ルートのためにはあっさりとこだわりを捨てた。しかしたいていの場合、彼はランドセルだけ置いて、公園へ友だちと野球をしに行くので、博士はそのまますごすごと書斎へ逆戻り、ということになるのだった。

だから博士は雨が降ると喜んだ。ルートと一緒に算数の宿題ができるからだ。

「博士の部屋で勉強すると、頭が良くなったみたいに思えるよ」

私たち親子が暮らすアパートには本箱などなかったので、本が山積みになった書斎が、ルートには珍しくてならないようだった。

博士は仕事机の上の大学ノートやクリップや消しゴム滓を端に寄せ、ルートのためにスペースを作ってから、そこに算数のドリルを広げた。

高等な数学を研究する人なら誰でも、小学生の算数くらい上手に教えられるものなのだろうか。

それとも特別に備わった能力のためなのだろうか。彼は分数や割合や体積を、見事なやり方で教えることができた。子供の宿題を見てやる大人は誰でも、こういうふうにすべきなのだと、思うほどだった。

「355掛ける840は、6239割る23は、4・62足す2・74は、5と7分の2引く2と7分の1は……」

文章題であれ単純な計算であれ、博士はまず問題を音読させることからはじめた。

「問題にはリズムがあるからね。音楽と同じだよ。口に出してそのリズムに乗っかれば、問題の全体を眺めることができるし、落し穴が隠れていそうな怪しい場所の見当も、つくようになる」

ルートは書斎の隅々にまで届く、はきはきした声を出した。

「ハンカチ2枚とくつ下2足を380円で買いました。同じハンカチ2枚とくつ下5足を買うと710円でした。ハンカチ1枚とくつ下1足の値段はそれぞれいくらでしょう」

「さあ、まずどこに目を付けるかだ」

「うん、ちょっと難しいよ」

「確かに、今日の宿題の中では一番の曲者かもしれん。しかしさっき君は、実にうまく音読したね。この問題は三つの文章から成り立っている。ハンカチとくつ下が三回ずつ出てくる。×枚、×足、×円。×枚、×足、×円……この繰り返しのリズムを、的確につかんでいた。味気ないドリルの問題が、一篇の詩のように聞こえたよ」

博士はルートをほめるのに、労力を惜しまなかった。ほめている間に、どんどん時間だけが過ぎて、宿題が一向にはかどらなくても焦らなかった。ルートがどんなに愚かな袋小路へ入り込んだ時でも、川底の泥から一粒の砂金をすくい上げるように、小さな美点を見出だした。

「じゃあ、この人の買物を絵にしてみようじゃないか。まず、ハンカチが2枚だろ。それから、くつ下が2足と……」

「それ、くつ下に見えないよ。太った芋虫だよ。僕が描いてあげる」

「ああ、そうか。そういうふうに描けば、くつ下らしくなるんだな、なるほど」

「くつ下を5足も描くのは手間がかかるよ。この人、ハンカチの枚数は変えないで、くつ下だけ増やしたんだ。僕のもだんだん、芋虫みたいになってきちゃった」

「いいや、立派なものだよ。ルートの言うとおり。くつ下が増えた分だけ、値段も高くなったわけだ。いくら高くなったか、計算してみよう」

「えっと……710引く380だから……」

「筆算の跡も、消さずにきちんと残しておく方がいい」

「いつもは、いらない紙の裏で、ごちゃごちゃっと計算するんだ」

「どんな式にも、どんな数字にも意味があるからね。大事に扱ってやらなくちゃ、かわいそうだろ？」

私はベッドに腰掛け、繕いものをしていた。二人が宿題をはじめると、私も自分の仕事を書斎へ持ち込んで、できるだけ彼らと一緒にいられるよう工夫した。ワイシャツにアイロンをかけたり、絨毯の染み抜きをしたり、さやえんどうの筋を取ったりした。台所にいて、時折漏れてくる笑い声を聞いていると、自分一人だけ仲間外れにされたようで淋しかったし、やはりルートが誰かに優しくされている時は、自分もそのそばにいたかった。

書斎は雨の音がよく聞こえた。そこだけ空が、低くなっているかのようだった。生い茂った緑のために、人に覗かれる心配もないので、日が暮れてからもずっとカーテンを閉めずにいると、二人の横顔がガラスに映り、潤んで見えた。雨の日は紙の匂いが普段より一段と濃くなった。

「その調子、その調子。割算まで持っていけば、もうこっちのもんだ」

「くつ下の方が先に答えが出たね。１１０円だ」

「よし。ここで油断しては駄目だぞ。案外大人しそうな顔をして、ハンカチの方が食わせ者かもしれないからな」

「そうだね……えっと、数が小さい方が計算しやすいから……」

ルートは少し高すぎる机に、伸び上がるようにして顔をつけ、歯形だらけの鉛筆を握り締めていた。博士はリラックスした雰囲気で足を組み、時折不精髭に手をやりながら、ルートの指先を見つめていた。最早弱々しい老人でも、考えることに取りつかれた学者でもない、小さき者の正当な庇護者だった。二人の輪郭は寄り添い、重なり合い、一続きになっていた。鉛筆のこすれる気配や、博士の入歯がカチリと鳴るのも、雨の音と一緒に聞こえてきた。

「順番に、一個一個式にしていってもいい？　学校の先生は、一つの式にまとめないと怒るんだ」

「間違えないように、慎重にやっているのに怒るなんて、おかしな先生だな」

「うん、まあね……。１１０掛ける2は、２２０。これを３８０から引いて……。１６０だから……１６０割る2は……80。出来た。ハンカチは1枚80円だよ」

「正解だ。見事な正解だ」

博士はルートの頭を撫で、ルートは髪をくしゃくしゃにされながら、喜ぶ顔を見逃したくないとでもいうように、繰り返し博士の顔を見上げた。

「おじさんからも、君に宿題を出したいんだが、いいかな」

「えっ？」

「そんなに嫌な顔しなくてもいいじゃないか。一緒に勉強をしていたら、おじさんも学校の先生の真似をして、宿題を出してみたくなったんだ」

「ずるいよ」

「たったの一問だよ。いいかい？　〝1から10までの数を足すと、いくらになるでしょう〟」

「なんだ、そんなの簡単、簡単。すぐ出来る。じゃあ、博士に宿題を出させてあげる代わりに、僕の頼みも聞いてほしい。ラジオを修理してほしいんだ」

「ラジオの修理？」

「うん。だって、ここに来ると野球の経過が分からないんだもん。テレビはないし、ラジオは壊れてるし。ペナントレースはもう開幕しているんだよ」

「ほお……プロ野球か……」

博士はルートの頭に手をのせたまま、長い息を吐き出した。

「ルートはどこのファンなんだ？」

「帽子を見れば分かるじゃないか。タイガースだよ」

ルートはランドセルの横に放り投げてあった帽子を被った。

「そうか、タイガースか。そうか、タイガースなんだな」

誰に向かってというのでもなく、自分自身に言い聞かせるように、博士はつぶやいた。

「おじさんは江夏のファンだ。タイガースのエース、江夏豊のファンだよ」

「本当？　よかった、ジャイアンツのファンじゃなくて。じゃあ絶対、ラジオを直すべきだよ」

ルートは博士にじゃれついた。博士はまだ、もぞもぞ何かつぶやいていた。

私は裁縫箱の蓋を閉め、ベッドから立ち上がって言った。

「さあ、夕ご飯にしましょう」

3

ようやく私は、博士を外へ連れ出すのに成功した。私が通いはじめてから彼は一歩も外出していないどころか、庭に出たことさえなく、健康のために少しは外気に触れた方がいいのではないかと思われた。

「とても気持のいいお天気ですよ」

それは嘘ではなかった。

「お日さまに向かって、思わず深呼吸したくなるようなお天気です」

しかし安楽椅子で本を読んでいる博士は、生返事をするだけだった。

「公園をぶらぶらして、そのあと散髪屋さんにでも寄っていらしたらいかがですか」

「そんなことをして何になる?」

老眼鏡をずらし、上目遣いで面倒そうにこちらを見やりながら博士は言った。

「別に目的がなくてもいいじゃありませんか。公園の桜はまだ散っていませんし、そろそろ花水木もほころんでいますよ。それに散髪すれば、気分がさっぱりします」

「気分なら、今でもさっぱりしている」

「足を動かして血の巡りがよくなれば、いい数学のアイデアが浮かぶかもしれません」

「足の血流と頭の血流は別ルートだ」

「髪を手入れなさったら、もっと男前になられるでしょうに」

「ふん、くだらん」

いつまでも博士はへ理屈を並べていたが、私の強引さに押し切られ、渋々本を閉じた。下駄箱にあるのは、うっすら黴の生えた革靴、一足きりだった。

「君も一緒についてきてくれるんだろうね」

靴を磨く私に向かい、何度も博士は念押しした。

「いいね、君も一緒なんだからね。散髪の間に、勝手に帰られたりしたら困るんだ」

「はい、大丈夫ですよ。お供します」

いくら磨いても、靴はきれいにならなかった。

問題は身体中に張りついたメモをどうするかだった。そのままの格好で外へ出れば、人々の好奇の目にさらされるのは間違いなかった。メモは外しましょうかと声を掛けるべきかどうか迷ったが、本人がそのことにこだわる様子を見せなかったので、私も覚悟を決めた。

博士は晴れ渡った空を見上げるでもなく、すれ違う犬やお店のショーウィンドウに視線を送るでもなく、ただ自分の足元だけを見つめてぎこちなく歩いた。リラックスするどころか、余計な力が入ってかえって緊張しているようだった。

「ほら、あそこ。桜が満開です」

などと話し掛けても、あやふやな相づちをうつだけだった。外気の中に立つと、更に一回り、老いて見えた。

私たちはまず散髪を済ませることにした。散髪屋の主人は頭の回転の早い親切な男で、最初こそ奇妙な背広姿にたじろいだが、すぐに事情があることを察し、愛想よく振る舞ってくれた。親子だと思ったらしく、

「お嬢さんと一緒だなんて、いいですねえ、旦那」

などと言ったりしたが、私も博士も否定はしなかった。私は男性客たちに混じってソファーに座り、散髪が終わるのを待った。

散髪にまつわるよほど嫌な思い出があるのか、ケープを着せられた博士の緊張はますます高まっていた。頬は強ばり、両手の指が食い込むほどきつくアームを握り締め、眉間に皺を寄せていた。主人が当たり障りのない話題を持ち出して、気分を和ませようとするのだが、効果はなかった。逆に主人に、

「君の靴のサイズはいくつかね」

「電話番号は何番かね」

と、例の質問を唐突にぶつけ、余計に場を白けさせてしまった。

鏡に私の姿が映っているのに、それでもまだ信用できないのか、時折振り返って、約束が破られていないかどうか確かめようとした。そのたびに主人はハサミを止めなければならなかったが、文句も言わず、わがままに付き合った。私は微笑みながら片手を小さく挙げ、ちゃんとここにいますよ、という合図を送った。

白髪が束になって滑り落ち、床に散らばった。散髪屋の主人はその白髪に覆われた頭蓋骨の中身が、一億までに存在する素数の個数を言い当てられることなど、知らないだろう。目の前の奇妙な男が早く帰ってくれないかと待っているソファーの客たちも、誰一人として、私の誕生日と腕時計に隠された秘密を知りはしないだろう。そう考えると、なぜか誇らしい気持になった。私は鏡に向かい、一段と明るい微笑みで、合図を送り返した。

散髪屋を出た後は、公園のベンチで缶コーヒーを飲んだ。砂場と噴水とテニスコートのある公園だった。風が吹くたび桜の花びらが舞い上がり、博士の横顔を照らす木漏れ日が揺れた。すべてのメモは始終震えていた。怪しげな飲み物でも口にするように、彼はじっと缶の口を覗き込んでいた。

「思ったとおりです。とてもりりしく、ハンサムになりました」

「冗談はやめてくれたまえ」

博士が喋ると、いつもの紙の匂いとは違う、シェービングクリームの匂いがした。

「大学で研究なさったのは、数学のどんな分野なんですか」

理解できるわけもないのだが、願いを聞き入れて外出してくれたお礼に、数学に関わりのある話をしようと思い質問した。

「数学の女王と呼ばれる分野だね」

缶コーヒーをごくりと飲み込んで、博士は答えた。

「女王のように美しく、気高く、悪魔のように残酷でもある。一口で言ってしまえば簡単なんだ。誰でも知っている整数、1、2、3、4、5、6、7……の関係を勉強していたわけだ」

女王などという、物語に出てきそうな言葉を使ったのが意外だった。テニスボールの跳ねる音が遠くに聞こえた。ベビーカーを押す母親も、ジョギングする人も、自転車に乗った人も皆、私たちの前を行き過ぎる時、博士に気づいて慌てて目をそらした。

「その関係を、発見してゆくのですね」

「そう、まさに発見だ。発明じゃない。自分が生まれるずっと以前から、誰にも気づかれずそこに存在している定理を、掘り起こすんだ。神の手帳にだけ記されている真理を、一行ずつ、書き写してゆくようなものだ。その手帳がどこにあって、いつ開かれているのか、誰にも分からない」

そこに存在している定理、と言う時、〝考えている〟状態の彼がいつも見つめているあたりの宙の一点を、指差した。

「例えば、ケンブリッジに留学中取り組んだのは、整係数三次形式に関するアルティン予想だがね。サークルメソードと呼ばれる思想に基づき、代数幾何、代数的整数論、ディオファントス近似等を用いて……途中、アルティン予想の成立していない三次形式を見つけようと……結局、特殊な条件を付けたタイプについて得られた証明を……」

博士はベンチの下に落ちていた小枝を拾い、地面に何かを書き付けていった。何か、という以外、表現のしようがないものだった。数字があり、アルファベットがあり、秘密めいた記号があり、それらがまた連なり合って一続きの形を成していた。発せられる言葉の意味は一つとして理解できなかったが、そこには確固たる筋道があり、その真ん中を博士が突き進んでいるのは分かった。堂々として威厳があった。散髪屋で見せた緊張は消え失せていた。枯れかけた小枝は、博士の意志を休みなく地面に刻み付けていった。いつしか二人の足元には、数式で編まれたレース模様が広がっていた。

「一つ、私の発見について、お話ししても構わないでしょうか」

小枝が動きを止め、沈黙が戻ってきた時、自分でも思いがけないことを口走っていた。レース模様の美しさに心を奪われ、自分もそこに加わってみたくなったのかもしれない。そして私は、博士がその幼稚すぎる発見を、決して粗末に扱ったりはしないと確信していた。

「28の約数を足すと、28になるんです」

「ほう……」

博士はアルティン予想についての記述の続きに、

28＝1＋2＋4＋7＋14

と書いた。

「完全数だ」

「カンゼン、数」

揺るぎない言葉の響きを味わうように、私はつぶやいた。

「一番小さな完全数は6。6＝1＋2＋3」

「あっ、本当だ。別に珍しくないんですね」

「いいや、とんでもない。完全の意味を真に体現する、貴重な数字だよ。28の次は496。496＝1＋2＋4＋8＋16＋31＋62＋124＋248。その次は8128。その次は33550336。次は8589869056。数が大きくなればなるほど、完全数を見つけるのはどんどん難しくなる」

億の桁の数字を博士が苦もなく導き出してくるのに、私は驚いた。

「当然、完全数以外は、約数の和がそれ自身より大きくなるか、小さくなるかだ。大きいのが過剰数、小さいのが不足数。実に明快な命名だと思わないかい？　18は1＋2＋3＋6＋9＝21だから過剰数だね。14は1＋2＋7＝10で、不足数になるわけだ」

私は18と14を思い浮かべた。博士の説明を聞いたあとでは、それらは最早ただの数字ではなかった。人知れず18は過剰な荷物の重みに耐え、14は欠落した空白の前に、無言でたたずんでいた。

「1だけ小さい不足数はいくらでもあるのだが、1だけ大きい過剰数は一つも存在しない。いや、誰も見つけられずにいる、というのが正しい言い方かもしれん」

「何故見つからないんでしょう」

「理由は、神様の手帳だけに書いてある」

日差しは柔らかく、目に映るものすべてに平等に降り注いでいた。噴水に浮かぶ虫の死骸さえ、輝いて見えた。胸元の一番大事なメモ《僕の記憶は80分しかもたない》が外れそうになっているのに気づき、私は手をのばしクリップを留め直した。

「もう一つ、完全数の性質を示してみよう」

博士は小枝を握り直し、両足をベンチの下に引っ込ませて空いた地面を確保した。

「完全数は連続した自然数の和で表わすことができる」

6＝1＋2＋3

28＝1＋2＋3＋4＋5＋6＋7

496＝1＋2＋3＋4＋5＋6＋7＋8＋9＋10＋11＋12＋13＋14＋15＋16＋17＋18＋19＋20＋21＋22＋23＋24＋25＋26＋27＋28＋29＋30＋31

博士は腕を一杯にのばし、長い足算を書いた。それは単純で規則正しい行列だった。どこにも無駄がなく、研ぎ澄まされ、痺れるような緊張感に満たされていた。

アルティン予想の難解な数式と、28の約数から連なる足算は、反目することなく一つに溶け合い、私たちを取り囲んでいた。数字の一つ一つがレースの編目となり、それらが組み合わさって精巧な模様を作り出していた。不用意に足を動かし数字を一つでも消してしまうのがもったいなくて、じっと息をひそめていた。

今、私たちの足元にだけ、宇宙の秘密が透けて浮かび上がっているかのようだった。神様の手帳が、私たちの足元で開かれているのだった。

「さてと」

博士が言った。

「そろそろ帰るとしよう」

「はい」

私はうなずいた。

「もうすぐルートも帰ってきます」

「ルート……？」

「私の十歳になる息子です。頭のてっぺんが平らなので、ルートです」

「おお、そうか。君には息子がいたのか。子供が学校から帰ってくる時には、母親が出迎えてやらなければならん。さあ、急ごう。子供の、ただいま、の声を聞くほど幸せなことはない」

そう言って、博士は立ち上がった。

その時、砂場から泣き声が聞こえてきた。目に砂でも入ったのか、二つくらいの女の子がおもちゃのスコップを握ったまま、泣きべそをかいていた。かつて見せた試しのない素早さで博士は女の子に近付き、声を掛け、顔を覗き込んだ。この人はルートだけでなく、あらゆる子供を愛しているのだ、と分からせる優しい手つきで、砂だらけのスカートを払ってやった。

「構わないで下さい」

どこからか戻ってきた母親が手を振りほどき、子供を抱え、あっという間に走り去っていった。

砂場に一人取り残され、博士は立ち尽くしていた。何の手助けもできないまま、私は彼の後ろ姿をただ見ていた。桜の花びらが舞い落ち、宇宙の秘密に新しい模様を付け加えていた。

「ちゃんと宿題をやってきたよ。約束どおり、ラジオを修理してよ」

ルートはただいまも言わずに玄関を駆け込んできた。

「はい、これ」

そしてすぐさま、算数のノートを差し出した。

1+2+3+4+5+6+7+8+9+10=55

博士はルートの書いた足算を、高度な証明の一行を吟味するかのように、じっと見つめた。何のために自分が宿題を出したのか、ラジオを修理するとはどういうことなのか、記憶をたどれない代わりに、その足算の中から答えを導き出そうとしているのだった。

博士はいつでも、八十分以前の出来事について、私やルートにできるだけ質問しないよう気を遣っていた。宿題とラジオの修理が何を意味するのか、一言聞いてくれればすぐに説明してあげるのに、現状からどうにかして手がかりを見つけ、自分一人で解決しようと努めた。元々優秀な頭脳の持ち主なので、自分の病気についても、それだけ深く理解していたのだろう。プライドを守りたいというよりは、ごく当たり前の記憶の世界に生きる人々の邪魔になるのが、申し訳なくてたまらない、という様子だった。だから私も余計な口出しをしないことに決めていた。

「ほお、1から10までの足算だな」

「ね、合ってるでしょ？　何回も筆算して見直したから、自信あるんだ」

「正解だ」

「やった。じゃあ、今からラジオを電気屋さんに持って行って、直してもらおうよ」

「ちょっと待ちなさい、ルート君」

時間を稼ぐように博士は咳払いをした。

「君がどういうやり方で正解を導いたのか、説明してもらえないだろうか」

「そんなの決まってるじゃない。順番に足していったのさ」

「正直な方法だ。誰からも後ろ指をさされない、堅実な方法だ」

ルートはうなずいた。

「しかし、考えてみてほしい。もし、もっと意地の悪い先生がいて、1から100までの数を足しなさい、と言ったらどうする？」

「……やっぱり、足算するよ」

「そうだな。君は素直だからね。そのうえ粘り強いし、根性もある。だから1から100までになっても、きっと正解にたどり着けるだろう。でもその先生は悪魔みたいな奴で、君を困らせるために、1から千までなら？　万までなら？　と、次々問題を出してくるかもしれん。で、正直者のルートがうんうん唸りながら、長い長い足算に苦しんでいるのを見物して、高笑いするんだ。そんなのに君、耐えられるかい？」

ルートは首を横に振った。

「そうだとも。悪魔先生に大きな顔をされてたまるもんか。奴をぎゃふんと言わせてやろうじゃないか」

「……つまり、どうしたらいいの？」

「どんなに数字が大きくなっても大丈夫な、もっと簡単な計算方法を見つけよう。それが見つかったら、ラジオを持って一緒に電気屋さんへ行こう」

「えっ、そんなのずるいよ。約束と違うじゃないか。ずるい、ずるい、ずるい」

ルートは足をばたばたさせた。

「お行儀よくしなさい。赤ん坊じゃないんだから」

と、私はたしなめた。しかし博士はいくらルートに責められようとも悠然としていた。

「正解さえ出せば宿題は終わり、というものではない。55へ到着する、もう一つ別の道順があるんだぞ。そこを通ってみたいと思わないかい？」

「別に……」

彼はまだふくれていた。

「よし、こうしよう。僕が予想するに、あのラジオは相当古いから、たとえ今日修理に出しても、音が出るまでには何日もかかるはずだ。ラジオが戻ってくるのが早いか、君が新しい道順を見つけるのが早いか、競争するっていうのはどうかな」

「うん……。でも、はっきり言って、自信ないよ。1から10までの数を足すのに、他のやり方があるなんて……」

「おやおや、どうした。そんなに弱虫だとは知らなかったぞ。挑戦する前にもう降参するのかい？」

「分かった。やってみる。でもラジオが直るのに間に合うかどうかは、保証できないよ。僕だっていろいろ、忙しいんだからさ」

「よしよし」

いつものとおり、博士はルートの頭を撫で回した。それから、

「あっ、いけない。大事な約束だから、忘れないようにちゃんと書いておこう」

と言って、メモ用紙を一枚ちぎり、鉛筆で要点を書き込み、背広の衿のわずかな隙間にクリップで留めた。

普段の生活で見せる不器用ぶりとは比べものにならない、慣れた仕草だった。熟練した手つきと言ってもいいくらいだった。新しいメモはすぐさま、他の数々のメモたちの中に溶け込んだ。

「野球中継が始まるまでに宿題を済ませること。夕食の間はラジオを消すこと。博士のお仕事の邪魔はしないこと。いい？　それだけは約束よ」

私が釘を刺すと、ルートは面倒そうに、うん、うんと返事をした。

「言われなくてもそれくらい分かってるよ。今年のタイガースは強いんだ。二年連続最下位だった去年までとは訳が違う。開幕のジャイアンツ戦を勝ち越したんだからね」

「そうか。阪神は調子がいいのか」

博士は言った。

「で、江夏の防御率は、今いくつかな」

ルートと私の顔を交互に見やりながら、博士は質問を続けた。

「奪三振はいくつになってる?」

しばらく間を取ってからルートは答えた。

「江夏はトレードされたよ。僕が生まれる前に……それにもう、引退したんだ」

えっ、と絶句したきり、博士は動かなくなった。

これほど驚き、動揺した彼を目の当たりにしたのは初めてだった。自分の記憶でカバーしきれない事柄が、いくら唐突に浮上してこようと、いつも心静かに受け止めていたのに、今回ばかりは勝手が違っていた。その場をどう取り繕っていいのか、見当もつかない状態に陥っていた。そんな博士を見て、いかに自分がひどいことを口にしてしまったか悟り、同じようにショックを受けているルートのことを、思いやる余裕さえなくしていた。

「でも……カープで活躍して……日本一にもなったんですよ……」

少しでも博士の気持を落ち着かせたいと思い、そう言い足してみたが、むしろ逆効果だった。

「何？　カープだって？　なんてことだ。江夏が縦縞のユニフォーム以外を着るだなんて……」

彼は仕事机に両肘をつき、散髪屋さんできれいにしたばかりの髪をかきむしった。算数のノートに髪の切りくずがパラパラと落ちた。今度はルートが博士の頭を撫でる番だった。自分のしでかした過ちを償おうとするように、ルートは乱れた髪を撫でつけた。


その夜、アパートまでの帰り道を、私とルートは無口に歩いた。

「今日もタイガースの試合はあるの？」

私が尋ねても、ルートは気のない返事をするだけだった。

「相手はどこ？」

「大洋」

「勝ってるかしらね」

「さあ」

昼間行った散髪屋さんの電気は消え、公園に人影はなく、小枝で書いた数式たちも暗がりの中に沈んで見えなかった。

「余計なこと、喋るんじゃなかったよ」

ルートは言った。

「博士が江夏のことをそんなに好きだなんて、知らなかったんだ」

「ママだって知らなかった」

そして私は、もしかしたら適切ではないのかもしれない言い方で、息子を慰めた。

「大丈夫よ。心配いらない。明日になれば元通りになるから。明日になればまた、博士の江夏は、タイガースのエースに戻るから」


江夏問題と同じくらい難しいのが、博士から出された宿題だった。

博士の予想は正しく、ラジオを持ち込んだ電気屋は、こんな旧式は見たことがないと言って困惑し、修理できる自信がなさそうだったが、とにかく一週間は努力してもらう約束を取り付けた。

仕事を終え家へ帰ると私は毎日、〝1から10までの自然数を全部足すといくらになるか〟という問題の解き方について考えた。本来ルートがやるべきなのに、彼は早々にあきらめてしまい、仕方なく私が引き受ける羽目になった。やはり江夏の件が引っ掛かっていたのだと思う。これ以上博士をがっかりさせたくなかったし、何より彼を喜ばせたかった。そのためには、数学の方面からアプローチしてゆくしか、他に方法はないのだった。

博士がいつもルートにさせるように、私もまず問題を声に出して読んでみた。

「1＋2＋3＋……9＋10は55。1＋2＋3＋……9＋10は55。1＋2＋3＋……」

けれどこれはさほどの効果をもたらさなかった。ただ自分が求めようとしているものの不透明さに比べ、式がいかに単純極まりないかを思い知らされるばかりだった。

次に、1から10までの数字を横や縦に並べて書いたり、偶数と奇数、素数とそれ以外、という具合にグループ分けしてみたり、マッチ棒やおはじきを持ち出してみたりした。仕事中でも時間が空くとすぐ、広告の裏に数字を書いて糸口を探した。

友愛数の時には、計算すべき式がいくらでもあり、時間を掛ければ掛けるだけ前進できた。しかし今回は勝手が違った。どの方向に手をのばしても感触はあやふやで、頼りなく、結局自分がどうしたいのかさえよく分からない始末だった。見当違いの場所をぐるぐる回っているだけのようでもあり、どんどん後退しているだけのようでもあった。実際ほとんどの時間、広告の裏を見つめているに過ぎなかった。

それでも私は放り出さなかった。一つの問題をこれほど徹底的に考え続けるのは、ルートを妊娠した時以来だった。

何の利益ももたらさない子供相手のお遊びに、どうしてこれほど真剣になれるのか、自分でも不思議だった。博士の存在は常に胸にあったが、次第に背景は遠退いてゆき、いつしか問いと私、一対一の真剣勝負の様相を呈してきた。朝、目覚めるとまず、〝1＋2＋3＋……9＋10＝55〟の式が視界に飛び込んできて、一日中居座り続けた。影のように網膜に染み込み、拭い去ることも無視することも不可能だった。

最初はただ鬱陶しいだけだったのが、意地が出てきて、やがて思いがけず使命感さえ抱くようになった。この数式に隠された意味を知っている者は限られている。その他大勢の人々は、意味の気配すら感じないで生涯を終える。今、数式から遠く離れた場所にいたはずの一人の家政婦が、運命の気紛れにより、秘密の扉に手を触れようとしている。あけぼの家政婦紹介組合により博士の元へ派遣された時から、既に誰かが放つ一条の光を受け、特別な使命を帯びているのだと、自ら気づきもしないままに……。

「ねえ、こうしているとママも、〝考えている〟時の博士みたいじゃない？」

私は、こめかみを押さえ、人差し指と中指に鉛筆を挟んでポーズを決めた。その日一日分の広告を全部使ったのに、相変わらず進展は見られなかった。

「全然違うよ。数学を解いている時の博士は、ママみたいに独り言も言わないし、枝毛を抜いたりもしないよ。身体はそこにあるんだけど、心はどこか遠くへ行っちゃうんだ」

ルートは言った。

「それに考えてる問題の難しさが、まるで違うじゃないか」

「そんな事分かってるわよ。誰のためにママが苦労していると思ってるの？　野球の本ばかり読んでないで、ちょっとは一緒に考えてほしいんだけど」

「僕はまだママの三分の一しか生きていないんだからね。元々が無茶な宿題なんだ」

「とっさに分数が出てくるなんて、すごい進歩。博士のおかげね」

「まあね」

ルートは広告の裏を覗き込み、もっともらしくふむふむとうなずいた。

「いい線まで行ってるんじゃないの？」

「無責任な慰め方ね」

「まあ、慰めないよりはましだろ？」

ルートはすぐにまた野球の本へ戻っていった。

昔、雇い主にいじめられて泣いていると（泥棒の濡れ衣を着せられたり、用意した食事を目の前でごみ箱に捨てられたり、能無し呼ばわりされたり）、小さかったルートがよく慰めてくれた。

「ママは美人だから大丈夫だよ」

確信に満ちた口調でそう言った。それが彼にとっての、最上級の慰めの言葉だった。

「そうか……ママは美人なのね……」

「そうだよ。知らなかったの？」

わざと大げさにルートは驚いて見せ、そうしてまた、

「だから大丈夫なんだよ。美人なんだから」

と、繰り返した。泣くほど辛くないのに、ルートに慰めてもらいたいだけで、嘘泣きしたこともあった。彼はいつでも進んで、だまされた振りをしてくれた。

「僕、思ったんだけど……」

ふと、ルートが言った。

「1から10までの中で、10だけちょっと、のけ者なんだよね」

「どうして？」

「だって、10だけ、二桁じゃないか」

確かにそのとおりだった。数字を分類する方法には何度もチャレンジしたが、性質の違う一つだけの数字に注目するというやり方は、まだ試していなかった。

改めて10個の数字を眺めてみれば、どうして今まで気づかなかったのかと拍子抜けするほど、10のいびつさが目立っていた。一筆書きできないのは、10だけだった。

「10さえいなかったら、真ん中の位置がぴたっと決まって、気持いいのに」

「真ん中の位置って何？」

「この前の授業参観に来ないから分からないんだよ。せっかく得意の体育だったのにさ。体育の

授業の時、先生が〝各列、センターに向かって集合！〟って号令を掛けると、列の真ん中の奴が手を挙げて、そこを目標にして整列するわけ。9人の列なら、前から5番目が真ん中になるからいいけど、10人の列は困るんだよね。一人増えただけで、センターが定まらないんだ」

私は10を離れた所に置き去りにし、1から9までの数字を並べ、5に丸をつけた。

間違いなく5は中心だった。前に4つ、後ろに4つの数字を従えていた。背筋をのばし、誇らしげに腕を空へ突き出し、自分こそが正当な目標であることを主張していた。

その時、生まれて初めて経験する、ある不思議な瞬間が訪れた。無残に踏み荒らされた砂漠に、一陣の風が吹き抜け、目の前に一本の真っさらな道が現われた。道の先には光がともり、私を導いていた。その中へ踏み込み、身体を浸してみないではいられない気持にさせる光だった。今自分は、閃きという名の祝福を受けているのだと分かった。


ラジオが電気屋から戻ってきたのは四月二十四日、金曜日、ドラゴンズ戦の日だった。私たち三人は食卓の中央にラジオを置き、耳を澄ませた。ルートがつまみを回すと雑音の向こうから、野球中継が聞こえてきた。長い旅路の果て、ようやくたどり着いたような頼りなげな音だったが、それでも野球中継は野球中継だった。私が通いだしてから初めて離れの中に入り込んできた、外の世界の息吹だった。三人はそれぞれに「ぅおー」と声を漏らした。

「このラジオでも、野球が聞けるとは、知らなかった……」

博士が言った。

「もちろんですよ。どんな種類のラジオでも、聞けるんです」

「昔、兄が英会話の勉強用にと言って買ってくれたものだから、英会話しか聞けないと思っていた」

「じゃあ、ラジオでタイガースの応援、したことないの？」

ルートが言った。

「うん、まあ、そうだね。このとおり家にはテレビもないし。正直に言うと……」

口ごもりながら、博士は告白した。

「野球の試合というものを、一度も見たことがない」

「信じられないよ」

遠慮なくルートは大きな声で驚いた。

「でも、誤解しないでほしい。ちゃんとルールは知っている」

弁解するように博士は言い足したが、ルートの驚きをおさめるには至らなかった。

「じゃあどうしてタイガースのファンになれるのさ」

「なれるとも。立派なタイガースファンになれる。大学の昼休みに図書館へ行って、新聞のスポーツ欄を読むんだ。ただ読むだけじゃないぞ。野球ほど多彩な数字で表現できるスポーツは他にないからね。阪神の選手の打率や防御率のデータを分析するんだ。０・００１の変化を読み取って、試合の流れを頭の中でイメージするのさ」

「それで、面白いの？」

「当たり前じゃないか。ラジオなんかなくても、僕の頭の中には、一九六七年、新人の江夏が10奪三振でカープからプロ入り初勝利をあげた試合だって、一九七三年に自らサヨナラホームランを打って延長戦のノーヒットノーランを達成した試合だって、事細かに刻み込まれているんだからね」

その時、ラジオのアナウンサーがタイガースの先発、葛西を告げた。

「ところで、今度の江夏の登板は、いつになるかね」

博士が尋ねた時、ルートはどぎまぎもせず、私に助けを求めたりもせず、ごく自然に答えた。

「ローテーションからいくと、もう少し先だね」

ルートがこれほど大人びて振る舞えるとは驚きだった。江夏に関してだけは、嘘をつき通そうと二人で約束していた。どんな種類であれ嘘をつくのは心苦しかった。まして博士に対してとなると尚更だった。結果としていかにも病気を慮っているようでありながら、本当にそれが彼のためになるのか、確信が持てないのが辛かった。

しかし、もう一度同じ動揺を彼に与えるのはもっと耐え難かった。

「ベンチの奥に、江夏がいると思えばいいんだ。ブルペンでピッチング練習をしていると思い込めばいいんだよ、ママ」

ルートは言った。

現役時代の江夏を知らないルートは、図書館へ行って本を調べ、彼に関する情報を手当たり次第に仕入れた。通算成績は206勝158敗193セーブ2987奪三振、プロ入り2打席めにホームランを打ち、ピッチャーの割には指が短く、ライバルの王から最も多くの三振を取るとともに最も多くのホームランを打たれ、しかし王に一度もデッドボールを与えず、一九六八年、シーズン奪三振401の世界新記録を打ち立て、一九七五年（博士の記憶が止まった年）シーズン終了後、南海へトレードされた……。

少しでも博士と同じ記憶を共有し、ラジオから流れてくる歓声の向こうに立つ江夏の姿を、よりくっきりとしたものにしたかったのだろう。私が例の宿題に悪戦苦闘している間、ルートは自分なりに江夏問題に取り組んでいた。ルートが図書館から借りてきた『プロ野球名選手図鑑』をめくっていて、私は一つの数字にはっとした。江夏の背番号は28だった。大阪学院を出てタイガースに入団する際、球団から提示された三つの背番号、1、13、28の中から、彼は28を選んだ。江夏は完全数を背負った選手だった。

同じ日、夕食が終わってから宿題の解答発表会をした。食卓に座った博士を前に、私とルートはスケッチブックとマジックペンを持って立ち、ひとまずお辞儀をした。

「えー、博士の出した宿題はこうでした。1から10までの数を足したらいくらになるか……」

ルートはいつになくまじめな態度だった。一度咳払いし、それから昨夜打合わせしたとおり、私が支えるスケッチブックに、横一列、1から9までの数字を並べ、10だけ離れた場所に書いた。

「答えは分かっています。55です。僕が足算をして求めました。なのに博士はそれだけでは満足してくれなかったわけです」

博士は腕組みをし、どんな一言でも聞き逃すまいとする真剣さで耳を傾けていた。

「まず9までだけを考えます。とりあえず10のことは忘れて下さい。1から9の真ん中は5です。つまり、5が……えっと……」

「平均」

私はルートに耳打ちした。

「あっ、そうそう。平均です。平均の出し方はまだ学校で習っていないので、ママに教えてもらいました。1から9までを足して、9で割れば5になるので……5×9＝45、これが1から9までの和になります。ここでさっきまで忘れていた10を思い出せばいいんです」

5×9＋10＝55

マジックペンを握り直し、ルートは式を書き付けた。

しばらく博士は動かなかった。腕組みをしたまま、何も言わず、式を凝視していた。

所詮、自分の閃きなど幼稚なお笑い草でしかないのだ、と私は思った。まあ最初から承知していたとはいえ、いくら一生懸命に集中したって、この貧しい脳細胞から搾り取れるものは、たかが知れているし、それで数学者を喜ばせようなどと考えたのが、そもそも思い上りだったのだ……と。

その時不意に博士が立ち上がり、拍手をした。たとえフェルマーの定理を証明した人でさえ、これほどの称賛は受けられないだろうと思うような、力強く、温かい拍手だった。それは家中に響き渡り、いつまでも鳴り止まなかった。

「すばらしい。なんて美しい式なんだ。すばらしいよ、ルート」

博士はルートを抱き締めた。博士の腕の中で、彼の身体はほとんど半分に押し潰されていた。

「全くすばらしい。これほどの式が君の手から生まれたとは……」

「うん、分かったから博士、もういいよ。息ができないよ」

背広に口をふさがれ、ルートの声はくぐもってとても博士の耳までは届かなかった。

いくら褒めても褒め足りないのだった。今目の前にいる、頭の平らな、痩せたちっぽけな少年に、自ら編み出した式がどれほど美しいか、根限り納得させないではいられないのだった。

称賛を独り占めしているルートの傍らで、でも、本当にそれを編み出したのはルートじゃなく私なんですけど、と心の中でつぶやいた。ついさっきまで自信をなくし、ひねくれていたことなど忘れ、もうすっかり誇らしい気持になっていた。今一度スケッチブックに目をやり、ルートの書いた一行を眺めた。

$5 \times 9 + 10 = 55$

まともに数学を勉強していない私にも、こういう場合、記号を使うとより高尚に見えることくらいは知っていた。

$$\frac{n(n-1)}{2} + n$$

我ながら上出来だった。

自分が迷い込んでいた状況の混沌ぶりに比べ、たどり着いた解決の地の、この清らかさは何なのだろう。まるで荒野の洞窟から、水晶のかけらを掘り出したようではないか。しかも誰一人、水晶を傷つけることも、否定することもできないのだ。博士が褒めてくれない分、私は自画自賛してほくそ笑んだ。

ようやくルートは解放された。博士の拍手に応えるべく、数論学会で発表を終えた数学者のように、私たちは誇りと感謝をこめてお辞儀をした。

その日、タイガースはドラゴンズに2対3で負けた。和田の三塁打でせっかく2点先取したのに、すぐに連続ホームランを打たれて追い付かれ、結局逆転負けをした。

4

この世で博士が最も愛したのは、素数だった。素数というものが存在するのは私も一応知っていたが、それが愛する対象になるとは考えた試しもなかった。しかしいくら対象が突飛でも、彼の愛し方は正統的だった。相手を慈しみ、無償で尽くし、敬いの心を忘れず、時に愛撫し、時にひざまずきながら、常にそのそばから離れようとしなかった。

書斎の仕事机で、あるいは食卓で、私とルートに聞かせてくれた数学の話に、たぶん素数は一番多く登場しただろう。1と自分自身以外では割り切れない、一見頑固者風の数字のどこにそれほど魅力があるのか、最初のうちはほとんど理解できなかった。ただ素数について語る博士の態度のひたむきさに引きずり込まれてゆくうち、少しずつ私たちの間に連帯感のようなものが生まれてきた。素数が手触りを持ったイメージとして、心の中にぽっかり浮かび上がってくるようになった。そのイメージは三者三様だったはずだが、博士が一言素数と口にしただけで、お互い目と目を見合わせ、親しみの合図を送り合うことができるのだった。例えば、キャラメルを思い浮かべると、口の中に甘い匂いが満ちてくるのと同じだった。

私たち三人にとって、夕方は貴重な時間帯だった。朝、初対面の者同士として出会ってから、わずかでも博士の緊張が和らぎだし、そしてルートが帰ってきて無邪気な声を振りまくのが、夕方だったからだ。そのせいか、私の記憶の中で、博士の横顔にはいつも西日が当たっていたような気がする。

仕方がないことながら、素数についても博士は何度も同じ話を繰り返した。けれど私とルートは決して、「その話はもう聞きました」と言わないよう、固く約束し合った。江夏について嘘をつくのと同じくらい、大事な約束だった。たとえどんなに聞き飽きていても、誠意を持って耳を傾ける努力をした。こんな幼稚な私たちを数論学者のように扱ってくれる博士の努力に、ルートと私は報いる必要があったし、何より彼を混乱させたくなかった。どんな種類であれ混乱は、博士に悲しみをもたらした。私たちさえ黙っていれば、博士は失ったものの存在について知ることもなく、何も失っていないのと同じになるのだ。そう考えると、「その話はもう聞きました」と言わないでいるくらい、たやすく守れる約束だった。

けれども実際、数学に関してうんざりさせられるような状況は滅多になかった。同じ素数の話（素数が無限にあるかどうかの証明や、素数を使った暗号の作り方や、巨大素数、双子素数、メルセンヌ素数、等など）にしても、ちょっとした構成の変化により、自分の勘違いに気づかされたり、新しい発見ができたりした。天気や声の調子が違うだけで、素数に射す光の色が変化して見えた。

私が推察するに、素数の魅力は、それがどういう秩序で出現するか、説明できないところにあるのではないかと思われた。約数を持たないという条件を満たしながら、一個一個は好き勝手に散らばっている。数が大きくなればなるだけ見つけるのが難しいのは間違いないにしても、彼らの出現を一定の規則によって予言するのは不可能であり、この悩ましい気紛れさ加減が、完璧な美人を追い求める博士を、虜にしてしまっているのだった。

「１００までの素数を書き並べてみよう」

ドリルの宿題の続きに、ルートの鉛筆で、博士は数字を書き連ねていった。

２、３、５、７、11、13、17、19、23、29、31、37、41、43、47、53、59、61、67、71、73、79、83、89、97

いつどんなケースでも、博士の指からそらですらすら数字が出てくるのは、私にとって驚異だった。電子レンジのスイッチさえ押せない、頼りなく震えがちな老いた指が、なぜ無数の種類の数字たちを、こうも整然と統率し行進させることができるのか、不思議でならなかった。

同時に私は４Ｂの鉛筆で彼が書く数字の形が好きだった。４は丸みを帯びすぎてリボンの結び目のようだし、５は前のめりになって今にも躓きそうで、どれも整っているとは言い難かったが、どことなく味があった。生まれて初めて数字と出会って以来博士が育んできた友好の情が、それぞれの形に反映していた。

「さあ、どう思う？」

まず抽象的な質問からスタートするのが博士のスタイルだった。

「みんなばらばらだ」

たいていルートの方が先に答えた。

「それに、2だけが偶数だよ」

なぜかルートはのけ者の数を見つけるのが得意だった。

「まさにその通り。素数の中で偶数は2、一個だけだ。素数番号①の一番打者、リードオフマンは、たった一人で無限にある素数の先頭に立ち、皆を引っ張っているわけだ」

「淋しくないのかな」

「いやいや、心配には及ばないさ。淋しくなったら、素数の世界をちょっと離れて偶数の世界に行けば、仲間はたくさんいるからね。大丈夫」

「例えば17、19とか、41、43とか、続きの奇数が二つとも素数のところがありますね」

私もルートに対抗して頑張った。

「うん、なかなかいい指摘だね。双子素数だよ」

普段使っている言葉が、数学に登場した途端、ロマンティックな響きを持つのはなぜだろう、と私は思った。友愛数でも双子素数でも、的確さと同時に、詩の一節から抜け出してきたような恥じらいが感じられる。イメージが鮮やかに沸き上がり、その中で数字が抱擁を交わしていたり、お揃いの洋服を着て手をつないで立っていたりする。

「数が大きくなるにつれて、素数の間隔も空いてくるから、双子素数を見つけるのもだんだん難しくなる。素数が無限にあるのと同じように、双子素数も無限にあるのかどうかは、まだ分からないんだ」

双子素数を円で囲みながら博士は言った。博士の授業でもう一つ不思議なのは、彼が分からないという言葉を惜し気もなく使うことだった。分からないのは恥ではなく、新たな真理への道標だった。彼にとって、手付かずの予想がそこにある事実を教えるのは、既に証明された定理を教えるのと同じくらい重要だった。

「数が無限にあるんだから、双子だっていくらでも生まれるはずだよ」

「そうだね。ルートの予想は健全だ。でも、１００をすぎて一万、百万、千万、と大きくなると、素数が全然出てこない砂漠地帯に迷い込んでしまうこともあるんだよ」

「砂漠？」

「ああ。行けども行けども素数の姿は見えてこない。見渡すかぎり砂の海なんだ。太陽は容赦なく照りつけ、喉はカラカラ、目はかすんで朦朧としている。あっ、素数だ、と思って駆け寄ってみると、ただの蜃気楼。手をのばしても、つかめるのは熱風だけだ。それでもあきらめずに一歩一歩進んでゆく。地平線の向こうに、澄んだ水をたたえた、素数という名のオアシスが見えてくるまで、あきらめずにね」

西日が私たちの足元に長くのびていた。ルートは双子素数を囲む円を、鉛筆でなぞった。台所から炊飯器の湯気が漂ってきた。砂漠を見通そうとするかのように博士は窓の向こうに目をやったが、そこにはただ、誰からも見捨てられ、打ち捨てられた小さな庭があるだけだった。

反対に博士がこの世で最も嫌悪したのは人込みだった。外出したがらない理由もそこにあった。駅、電車、デパート、映画館、地下街、どこも人が大勢いるというだけで、彼にとっては耐えがたい場所になった。種々雑多な人間が全くの偶然に寄り集まり、ひしめき合い、何の秩序もなくうごめいている様と、数学的センスが求める美とは、対極の位置にあった。

常に彼は静かであることを求めた。必ずしもそれは、音がしないという意味ではない。例えばルートが廊下をバタバタ走っても、ラジオを大きな音で鳴らしても、彼が保つ静けさにはさほどの影響を及ぼさなかった。博士の求める静けさは、外界の音が届かない、心の中に存在していた。数学雑誌の懸賞問題が解け、レポート用紙に清書し、郵送する前にもう一度見直しているよう

な時、博士はしばしば、自分の導き出した解答に満足しつつ、

「ああ、静かだ」

とつぶやいた。

正解を得た時に感じるのは、喜びや解放ではなく、静けさなのだった。あるべきものがあるべき場所に納まり、一切手を加えたり、削ったりする余地などなく、昔からずっと変わらずそうであったかのような、そしてこれからも永遠にそうであり続ける確信に満ちた状態。博士はそれを愛していた。

したがって静かであることは最大級のほめ言葉でもあった。彼は気が向くとよく、台所で料理している私の姿を食卓から眺めていたが、餃子を作っている時は特に驚異の視線を注いだものだ。掌に皮を広げ、中身をのせ、ひだを四つ寄せながら包み、皿に並べる。たったこれだけの単純な繰り返しなのに、飽きもせず、最後の一個が完成するまで目を離そうとしなかった。あまりに彼が真剣で、時に感嘆のため息さえ漏らしたりするので、私は妙にくすぐったく、笑いをこらえるのに必死だった。

「さあ、できました」

皿一杯に行儀よく並んだ餃子を私が持ち上げると、博士は食卓の上で両手を組み、感じ入ったようにうなずきながら言った。

「ああ、なんて静かなんだ」
と。

一つの定理で状況が統一できなくなった時、物事が静かでなくなった時、博士がどれほどの恐怖を味わうのか知ったのは、ゴールデンウィークが明けた五月六日のことだった。ルートが包丁で怪我をしたのだ。

土曜から火曜まで、四日続けての休みが明けた朝、離れを訪れてみると、洗面台が水漏れを起こして廊下まで水浸しになっていた。水道局に電話を掛けたり、修理業者を呼んだり、私もいらいらしていたのは事実だ。それに、長時間の空白のせいだろうか、博士が見せるよそよそしさがいつになく頑なで、メモを指し示して身分を明かしても反応は鈍く、夕方近くになってもぎくしゃくしたままだった。もし私の苛立ちが伝わり、それがルートの怪我の遠因になったとしたら、やはり博士に責任はない。

ルートが学校から帰ってきたあとしばらくして、サラダ油を切らしているのに気づき、私は買物に出た。正直に告白すれば、博士とルートを二人きりにするのに微かな不安はあった。だからこそ、出掛けにルートにこっそり耳元で念押しした。

「大丈夫かしら」

「何が？」

ぶっきらぼうにルートは答えた。

自分でも何が不安だったのか、うまく説明できない。虫が知らせたのだろうか。いや、違う。実務的な意味において、博士が保護者の役目を果たしてくれるかどうか、心配だったのだ。

「すぐ帰ってくるけど。博士と二人で留守番するのは初めてだから、大丈夫かなあと思って……」

「平気、平気」

ルートは私など相手にせず、宿題を見てもらうため、書斎へ駆けていった。

二十分ほどで買物を済ませ、戻ってきて玄関を開けた瞬間、様子が普通でないのに気づいた。博士がルートを抱えたまま、嗚咽ともうめきともつかない声を上げながら台所の床にへたり込んでいた。

「ルートが……ルートが……ああ……とんでもないことに……」

博士は満足に喋ることもできないくらい動揺していた。事情を説明しようとすればするほど唇は震え、額に汗が吹き出し、歯がかちかち鳴るばかりだった。私はルートの身体にきつく巻き付けられた腕を解き、二人を引き離した。

ルートは泣いていなかった。博士の混乱が早く治まるのを祈るように、あるいは私に叱られるのを恐がるように、ただじっと神妙にしているだけだった。二人の洋服が血で汚れ、ルートの左手から出血しているのが目に入ったが、博士が動揺するほどの怪我でないのはすぐに察しがついた。血は半ば固まりかけていたし、何よりルートが痛がっていなかった。私は手首をつかみ、流しの水道で傷口を洗ったあと、ルートにタオルを持たせて左手を押さえておくように言った。

その間もずっと博士は床に座り込んで動けず、両手はルートを抱いた形のまま硬直していた。傷の手当てよりも、博士を正気に戻す方が先決のように思えた。

「大丈夫ですよ」

私は彼の背中に掌を当て、できるだけ静かな声で言った。

「どうしてこんな恐ろしいことに……あんなに可愛くて、賢い子が……」

「ちょっとした切傷です。男の子はしょっちゅう怪我をするものです」

「僕がいけないんだ。ルートは悪くない。あの子は心配をかけまいとして……黙って……一人で我慢して……」

「誰も悪くなんてありませんよ」

「いいや違う。僕のせいだ。血を止めようとしたんだ。信じてほしい。なのに……次から次から……ルートの顔は青ざめて……今にも息が止まるんじゃないかと……」

博士は汗と鼻水と涙で濡れた顔を両手で覆った。

「心配いりません。ルートは生きてますよ。ほら、この通り。ちゃんと息をしています」

そう声を掛けながら私は背中を撫でた。思いがけず、広い背中だった。

要領を得ない二人の話をまとめてみれば、つまり宿題が終わり、ルートがおやつにリンゴをむこうとして、ナイフで親指と人差し指の間を切ったということらしかった。博士はリンゴを食べたがったのは自分の方であると主張し、反対にルートは自分が勝手にやったのだと言った。いずれにしてもルートは一人で事をおさめようとし、絆創膏を探したのだがうまくゆかず、血が止まらなくなって困惑しているところを博士に見つかってしまったのだった。

運悪く近くの病院はどこも診察時間が終わったあとだったが、唯一駅の反対側にある小児科の診療所だけ電話がつながり、診てもらえることになった。それ以降、いったん私の手を借りて立ち上がり、濡れた顔を拭ってからの博士の活躍は、目を見張るものがあった。別に足を怪我したわけではないから、と言っても耳を貸さず、ルートを背負って診療所まで走った。むしろ振動で傷口が余計に開きはしないかと心配になるくらいだった。いくら子供でも三十キロ近くある小学生を背負うのは、肉体を使うのに無縁な博士にとって簡単ではないはずなのに、彼は思いがけない力強さを見せた。さっきまで私に撫でられていた背中でルートの身体を支え、両足をがっちりとはさみ、黴の生えた革靴で走りに走った。傷が痛いからではなく、通行人に見られるのが恥ずかしくて、ルートはタイガースの帽子を目深に被り、ずっと顔を伏せていた。診療所に着くと、まるで死にかけた怪我人を背負っているかのような勢いで、鍵の掛かった玄関を叩いた。

「お願いします。早く開けて下さい。子供が苦しんでいるんです。助けてやって下さい。お願いします」


傷口は二針縫っただけでふさがった。私と博士は薄暗い廊下に腰掛け、腱が傷ついていないかどうかの検査が終わるのを待っていた。座っているだけで気分がふさいでくるような、古びた診療所だった。天井はくすみ、スリッパは垢が染みてぺたぺたし、壁に張られた離乳食教室や予防注射の案内はどれも黄ばんでいた。レントゲン室のランプだけが、ぼんやりと私たちを照らしていた。念のための検査という割には、ルートはなかなか診察室から出てこなかった。

「君は、三角数を知っているかね」

レントゲン室のドアにある、放射線の危険か何かを示す三角のマークを指差して博士が言った。

「いいえ」

私は答えた。数字を持ち出すのは、最初の混乱がおさまったように見えても、まだ心の中が不安で一杯の証拠だった。

「実にエレガントな数字なんだ」

博士は受付から取ってきた問診表の裏に、黒丸を三角の形に並べて書いた。

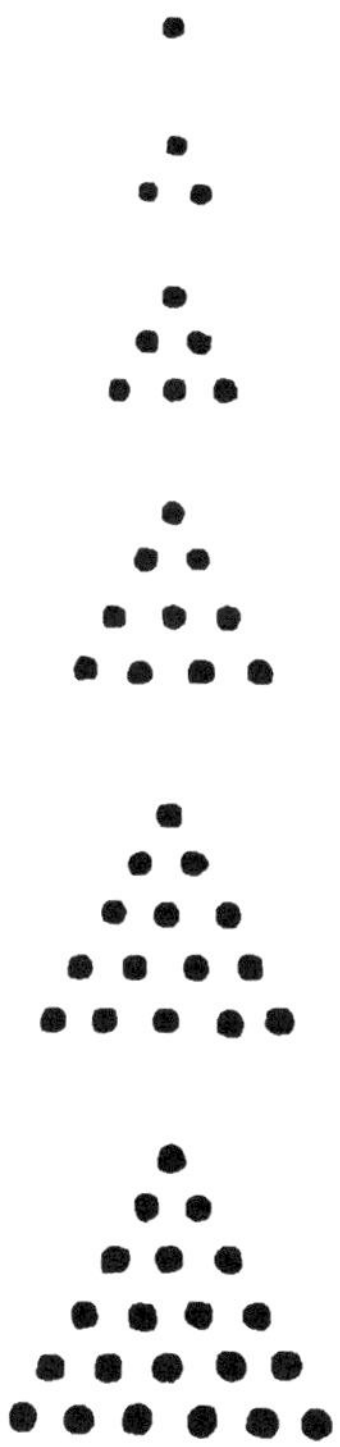

「どうだい？」

「ええ、そうですねえ……几帳面な人が薪を積み上げたような……黒豆を並べたような……」

「そうだ。几帳面な人、というのが大事なポイントだ。一段めには一個。二段めには二個。三段めには三個……とこれ以上ないほどの単純さで三角形を造形している」

私は三角形を覗き込んだ。博士の手はわずかに震えていた。黒丸が薄暗がりの中に浮かび上がって見えた。

「そして各々の三角形に含まれる黒丸の数を数えてみれば、1、3、6、10、15、21。これを式に表わしてみれば、

1

1+2=3

1+2+3=6

1＋2＋3＋4＝10
1＋2＋3＋4＋5＝15
1＋2＋3＋4＋5＋6＝21

となる。つまり三角数は、本人が望もうが望むまいが、1からある数までの自然数の和を表わしているのだ。この三角形を二つくっつけると、更に物事は先に拓ける。あまりたくさん黒丸を描くのは疲れるから、四番めの三角数10でやってみようじゃないか」

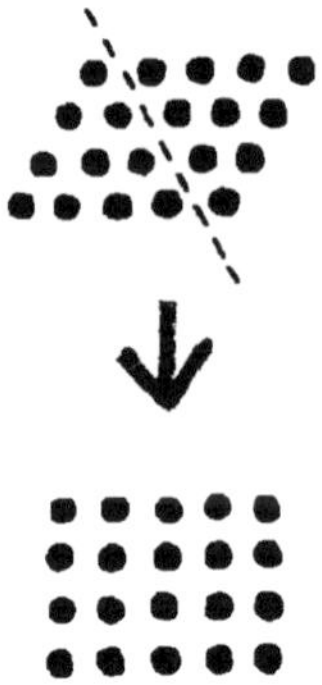

寒くもないのに手の震えはどんどんひどくなり、黒丸はいびつに不揃いになっていった。鉛筆の先に神経を集中させようとして、懸命になっていた。背広のメモはどれも血で汚れ、判読できなくなっていた。

「いいかい？　よく見て。四番めの三角形を二つくっつけると、縦に四つ、横に五つの黒丸が並ぶ長方形ができた。この長方形の中にある黒丸は全部で、4×5＝20個だ。分かるだろ？　これを半分に戻せば、20÷2＝10、となり、１から４までの自然数の和が求められたことになる。あるいは長方形の各段に目を付けて考えればこうなる。

$$\begin{array}{ccc|c} 4 & + & 1 & 5 \\ 3 & + & 2 & 5 \\ 2 & + & 3 & 5 \\ 1 & + & 4 & 5 \end{array}$$

これを使えば、10番めの三角数、つまり１から10までの自然数の和でも、１００番めの三角数でも、すぐに求められるんだ。

１から10なら、

$$\frac{10\times11}{2}=55$$

１から１００なら、

$$\frac{100\times101}{2}=5050$$

１から１０００なら、

$$\frac{1000 \times 1001}{2} = 500500$$

1から1000なら……」

博士が泣いているのが分かった。鉛筆がこぼれ落ち、足元に転がった。博士が泣くのを見るのは初めてのはずなのに、もう何度も同じ姿に接してきたかのような錯覚をおぼえた。ずっと昔から自分はこんなふうに、か弱い嗚咽の前で、どうすることもできずただじっとたたずんでいたような気がした。私は彼の手に自分の手を重ねた。

「分かるかい？　自然数の和が求められるんだよ」

「分かりますとも」

「黒豆を三角に並べるんだ。たったそれだけなんだ」

「ええ、そうです」

「僕の言ったこと、本当に分かってくれたかい？」

「大丈夫。心配いりません。どうぞ泣かないで下さい。三角数はこんなにも美しいのですから」

私は言った。

その時、診察室からルートが出てきた。

「この通り。平気だよ」

ルートは包帯の巻かれた左手を、ことさらに元気よく振ってみせた。

思わぬ騒動のおかげで、外食することになった。診療所を出た途端、三人ともひどくお腹が減っているのに気づいた。人込みの嫌いな博士のために、駅前の商店街で一番空いているお店を探し、カレーライスを食べた。空いているだけあってあまり美味しくなかったが、滅多に外食などした試しのないルートは大喜びだった。傷の程度に比べて包帯が大げさなのにも満足していた。名誉の負傷をしたヒーローにでもなったつもりでいるらしかった。

「これで当分、洗い物の手伝いもしなくていいし、お風呂にも入らなくていい」

と、大威張りで宣言した。

帰り道もルートは博士におんぶをしてもらった。すっかり夜になり、人通りも減って目立たないと思ったのか、そうしないではいられない博士の気持を慮ったのか、ルートは帽子のひさしを上げ、素直に背負われていた。街灯がプラタナスの並木を照らし、空の高いところには少しだけ欠けた月が浮かんでいた。夜の風は心地よく、お腹は一杯で、ルートの左手は大丈夫だった。もうそれだけで、十分満足だった。博士と私の靴音は重なり合い、ルートの運動靴はプラプラ揺れていた。

博士と別れ、アパートまで帰り着いた途端、なぜかルートは不機嫌になった。さっさと自分の部屋へ入り、ラジオをつけ、血で汚れた服を脱ぐように言っても返事をしなかった。

「タイガース、負けてるの？」

ルートは勉強机に向かい、ラジオを睨み付けていた。相手は巨人だった。

「昨日も負けたものね」

相変わらず無言だった。アナウンサーは九回の表を終わって仲田と桑田の投げ合いが続き2対2の同点、と告げていた。

「傷口が痛むの？」

ルートは唇を嚙み、ラジオのスピーカーから目をそらそうとしなかった。

「痛いんだったら、お医者さんにもらった薬を飲まなきゃ。お水持ってくるね」

「いらない」

ようやく一言だけ返ってきた。

「でも、我慢しない方がいいよ。化膿したら大変だから」

「いらないったら、いらない。痛くなんかないんだ」

ルートは包帯を巻いた左手を握り締め、勉強机を二度三度と打ち付け、涙がこぼれそうになるのを右腕で隠した。不機嫌の原因がタイガースでないのは明らかだった。

「どうしてそんなひどい事するの？　縫ったばかりなのに。また血が出てきたらどうするの」

隠しきれない涙が、頬にこぼれ落ちてきた。包帯に血が滲んでいないか確かめようとしたが、払い除けられた。ラジオから歓声が上がった。ツーアウトから、ヒットが出たようだった。

「あなたを残して、ママが一人で買物に出たのが気に入らないのね。それとも、包丁がうまく使えなかったのが、悔しいの？　博士の前で失敗して、恥をかいたと思ってるんじゃない？」

再び無言が戻ってきた。バッターは亀山だった。

「桑田の球威に押され……二打席連続三振を喫していますが……やはりここは直球で押してくるでしょうか……桑田振りかぶって第一球めを……」

実況中継も甲子園の歓声に途切れがちだったが、ルートの耳には何も届いていなかった。声も漏らさず、身体も震わせず、彼はただ涙だけをこぼしていた。

一日に二人の男の涙を目の当たりにするとは、何という夜なのだろうと、私は思った。ルートが泣くのは今まで数えきれないくらい見てきた。おっぱいを欲しがって泣き、抱っこしてもらいたくて泣き、癇積を起こして泣き、祖母を亡くして泣いた。そもそもこの世に生まれた瞬間から、もう泣いていたのだから。

けれど今回は、かつて目にしたどの涙とも違っていた。いくら手を差し出しても、私が拭うことのできない場所で、涙は流されていた。

「もしかして、博士がちゃんと手当してしてくれなかったのを、怒っているの？」

「違う」

ルートは私を見据え、泣いているとは思えない落ち着いた口調で言った。

「ママが博士を信用しなかったからだよ。博士に僕の世話は任せられないいんじゃないかって、少しでも疑ったことが許せないんだ」

亀山が二球めを右中間に弾き返した。和田が一塁から生還し、サヨナラのホームを踏んだ。アナウンサーは絶叫し、歓声はうねりとなって私たち二人を包んだ。


次の日、博士と一緒にメモを書き直した。「どうして血がついているんだろう」

不思議そうに博士は自分の身体を点検して言った。

「ルートが、私の息子が、包丁で手を切ったんです。大した怪我じゃありません」

「君の子供が？　ああ、それはいかん。この分だとかなり出血しているんじゃないか」

「いいえ。博士がいてくれたおかげで、大事に至りませんでした」

「本当に？　僕が役に立ったのかい？」

「もちろんです。こんなふうにメモが台無しになるまで、奮闘して下さったんじゃありませんか」

私は背広から一枚ずつメモを取り外していった。それらは身体のあちこちに巣食い、取っても取っても減らない気がした。大方数学に関するもので、私にとっては意味不明だった。数学以外で記憶しておかなければならない事柄は、ほんのわずかしかなかった。

「それにルートを助けてくれただけでなく、もう一つ、病院の待合室で大事な事を私に教えて下さいました」

「大事な事とは？」

「三角数です。1から10までの自然数の和を求めるのに、私など到底及びもつかない公式があるのを、教えて下さったんです。とても崇高な公式です。思わず目を閉じて、祈りを捧げたくなるような……さあ、まず最初に、これから始めましょうか」

私は一番大切なメモ、《僕の記憶は80分しかもたない》を差し出した。博士は新しい紙に、その一行を書き写した。

「僕の記憶は80分しかもたない」

そうして自分だけに聞こえる小さな声で、読み上げた。

5

数学の才能と関係があるのかないのかは不明だが、博士には不思議な能力があった。まず一つは、言葉を瞬時に逆さまにすることができた。

いつだったか、ルートが回文を作る国語の宿題に四苦八苦している時だった。

「言葉を反対から読めば、意味がなくなるのは当たり前だよ。たけやぶやけた、ってそんなこと一体誰が言うの？　だいたい、竹藪が火事で焼けたところなんて見たことない。ねえ、博士」

「いなとこたみてんなろことたけやでじかがぶやけた」

博士はつぶやいた。

「何言ってるの博士」

「せかはのるてっいにな」

「ねえ、ねえ、どうしたの」

「のたしうどえねえね」

「大変だよママ、博士の頭がおかしくなっちゃった」

ルートは慌てて私の助けを求めた。

「ルートの言う通り。文章を反対から読めば、皆頭がおかしくなる」

澄ました顔で博士は言った。

何故そんな芸当ができるのか尋ねてみたが、自分でもよく分からないようだった。訓練を積んだ訳でもなく、特別な労力を使っている訳でもなく、ほとんど無意識のうちにできてしまうので、長い間、誰もが普通に備えている能力だと思っていたらしい。

「とんでもない。私なんか、たった三文字の言葉を引っ繰り返すのだって間違えますよ。ギネスブック級の得意技です。世界びっくり人間ショーにだって出演できます」

「すまきでんえつゆしてっだにょしんげんにりくっびいかせ」

博士は少しもうれしそうではなかった。照れると余計、反対言葉が口をついて出てきてしまった。一つはっきりしているのは、文章を頭の中で映像にし、それを逆に読んでいるのではない、ということだった。大事なのはリズムで、絶対音感を発揮するようにして文章のリズムを耳でつかんでしまえば、そのあと逆回転させるのはお安いご用なのだった。

「例えば……」

と、博士は言った。

「数学のひらめきも、最初から頭に数式が浮かぶ訳ではない。まず飛び込んでくるのは、数学的なイメージだ。輪郭は抽象的でも、手触りは明確に感じ取れるイメージなんだ。それと似ているかもしれないね」

「ねえ、もっと実験してみてもいい?」

宿題のことなど忘れ、ルートはすっかり博士の特技に夢中になっていた。

「じゃあ、まず第一問は、えっと……、阪神タイガース」

「すーがいたんしんは」

「ラジオ体操」

「うそいたおじら」

「今日の給食はチキンカツ」

「つかんきちはくよしうゆきのうよき」

「友愛数」

「うすいあうゆ」

「僕は動物園でアルマジロを写生しました」

「たしましいせやしをろじまるあでんえつぶうどはくぼ」

「江夏豊」

「かたゆつなえ」

「江夏って、逆さまから読むと、急に弱いピッチャーみたいになるね」

ルートと私は交互に問題を出し合った。はじめのうちはノートに書いて正解しているかどうかいちいち確かめていたが、絶対に間違いを犯さないので、途中で面倒になって点検するのは止めてしまった。彼はこちらが問題を言い終わるやいなや、すぐさま正解を導き出した。一秒のためらいもなかった。

「すごい。すご過ぎる、博士。もっと皆に自慢すべきだよ。こんなにすごいことができるのに、僕たちにもずっと黙っていたなんてずるいよ」

「自慢だって？　冗談はやめてくれよ、ルート。どうしてこれが自慢になる？　江夏豊を、かたゆつなえ、って言い換えただけで」

「なるよ、なる。世の中の皆を驚かせたり、わくわくさせたり、喜ばせたりできるじゃないか」

博士ははにかむようにうつむき、小さな声で言った。

「ありがとう」

そしてルートの平らな頭、人の手を受け止めるのにうってつけの形をしたその頭に、掌をのせた。

「僕の能力は、世間の人たちには何の役にも立たないんだ。誰も僕の特技を求めてなどいやしない。ただ一人、ルートにほめてもらえれば、僕はそれだけで満足なんだ」

博士がルートの宿題のために考えた回文は、〝冷凍トイレ〟だった。


もう一つの才能は、誰よりも早く、一番星を見つけられることだった。恐らく、これから夜を迎えようとしている世界の中で、彼ほど敏感に一番星を見つけられる人間は、他にいないだろうと思われた。

「あっ」

夕方には早過ぎる、まだ太陽が空の中程で照っている時分、安楽椅子の博士が短い声を上げる。どうせ寝言か独り言だろうと思い、私は返事もしない。

「あっ」

もう一度博士は同じ調子で声を出し、ふらふらと片手を持ち上げ、窓ガラスの向こうの空を指差す。

「一番星だ」

誰に向かってというのでもない口調だが、それでもわざわざ指差しているのだからと、私は台所での仕事を中断し、博士の指の先に目をやる。けれどそこにはただ、空があるだけだ。

数学的妄想だろう、と私は胸の中でつぶやく。するとその声が聞こえたかのように言い返す。

「ほら、あそこだ」

彼の人差し指は皺だらけでささくれ、爪には垢がたまっている。私は瞬きをし、目を凝らすが、雲の欠けら以外他には何も見出だせない。

「星が出るには、ちょっと時間が早過ぎるんじゃないでしょうか」

遠慮がちに私は言ってみる。

「夜の準備は始まっている。一番星が出たのだから」

私になど構わず、自分の言いたいことだけを言ってしまうと、博士は腕を下ろし、再びうたた寝に戻る。

一番星を指差すことが、彼にとって何を意味するのかは分からない。疲れた神経をほぐしているのかもしれないし、ただの癖かもしれない。普段、目の前に何皿のおかずが並んでいるかさえよく見えていない彼が、どうしてそんなに早く一番星を見つけられるのかは、もっと分からない。いずれにしても彼は、その老いた指で、広い空の一点を指し示す。他の誰も区別できない、唯一無二の一点に意味を授ける。

ルートの傷は順調に回復した。だが彼の不機嫌はなかなか直らなかった。博士が一緒の時は普段どおり無邪気に振る舞うのに、私と二人きりになると、途端に無口になり、ぶっきらぼうな返事しかしなくなった。包帯は既に最初の頃の輝かしい白さを失い、すっかり薄汚れていた。

「ごめんなさい」

私は彼の前に正座し、頭を下げた。

「ママが間違っていました。たとえ一瞬でも博士を信用しなかったのは、人として恥ずかしいことでした。謝ります。反省します」

無視されるかと思ったが、意外にもルートは神妙な様子で私と向き合い、居住まいを正し、うつむいて包帯の結び目をいじりながら言った。

「うん、分かった。仲直りしよう。でも僕は怪我をした日のことを、絶対に忘れないからね」

そして私たちは握手をした。

たった二針の傷だが、ルートが成長した後も、長い間ずっと消えずに残っていた。あの日博士がルートのためにどれほどの心配をしたか証言するように、あるいは約束どおり、ルートが博士のことをずっと忘れないでいる証であるかのように、それは左手の親指と人差し指の間に刻印されていた。


ある日、書斎の本棚を整理している時、一番下の段で、数学書の山に押し潰されているクッキーの缶を見つけた。

錆かけた蓋を、私はそっと開けてみた。黴だらけのお菓子が出てくるかと身構えたが、意外にも中身は、野球カードだった。

百枚以上はあるかと思われた。四十センチ四方ほどの缶に、一分の隙もなく、指を差し込んで一枚取り出すのに難儀するくらいびっしりとカードが詰まっていた。

持ち主によってどれほど大事にされてきたコレクションであるかは、明らかだった。一枚一枚クリアーケースに収められ、指紋の汚れ一つなく、角がすり減ったり折り目がついたり、向きが逆さまになっているものなどは一切見当らない。【投手】、【セカンド】、【レフト】等と手書きされた厚紙により、ポジション別に分類がなされ、各項目の中では、名字のあいうえお順通りに並べてある。そして一枚残らずすべてが、阪神の選手だった。どこを抜き取ってみても例外はなく、皆新品同様で、どんなに几帳面な図書館司書であっても、これほど完全なカードの分類を成し遂げるのは難しいだろうと思われた。

しかしいくら新品同様と言っても、内容に年季が入っているのは間違いなく、写真はモノクロの方がずっと多かった。《今牛若丸　吉田義男》、《ザトペック投法　村山実》ぐらいならば私も分かるが、《七色の魔球　若林忠志》だの《豪快無比　景浦将》だのになってくるとお手上げだった。

ただ一人、江夏豊だけが特別だった。彼だけがポジションではなく、【江夏豊】の厚紙で仕切られた一角を与えられていた。

しかもクリアーケースは他の選手のようなビニール製とは異なり、外界からのあらゆる刺激を防ごうとするかのごとく、頑丈なプラスチックでできていた。一度そこへ収めたからには、決して指の脂などで汚しはしないという、意志が感じられた。

同じ江夏でも、さまざまなバリエーションのカードが揃っていた。私の知っている太鼓腹の彼の面影はなく、痩せて精悍な姿をしており、もちろんどれも、阪神のユニフォームを着ていた。

1948・5・15、奈良県生まれ。左投左打。179センチ、90キロ。1967年、大阪学院高校からドラフト1位で阪神入団。翌年には大リーグ・ドジャースのサンディー・コーファックスが持つシーズン382個を抜く、401奪三振の世界新記録を樹立。71年のオールスター戦（西宮）で9者連続三振（内8人が空振り）。73年、ノーヒットノーラン。不世出の天才左腕。孤高の豪腕サウスポー……。カードの裏にはプロフィールや記録が小さな字で書かれている。グローブを膝に当て、サインを覗き込む江夏。まさにボールを投げ込もうとする瞬間の江夏。左腕を振り下ろし、キャッチャーミットを睨み付ける江夏。マウンドで仁王立ちする江夏。そのユニフォームには、完全数、28が縫い付けられている。

私はカードを元に戻し、開けた時と同じくらいにそっと、缶の蓋を閉めた。

更に本棚の奥からは、埃だらけの大学ノートの束が出てきた。紙やインクの変色具合からすると、野球カードに負けないくらい古いものらしかった。長年の本の重みに耐えかね、三十冊ほどを束ねた紐はゆるみ、表紙は反り返っていた。

めくっても、めくっても、目に入ってくるのはただ数字と記号とアルファベットばかりだった。不意に何やら怪しげな幾何学模様が登場したかと思うと、いびつな曲線やグラフも顔を見せた。すぐに博士が書いたノートだと分かった。今より若々しく、勢いのある筆跡だったが、やはり4は解けかけたリボンのようだったし、5はつまずいて前のめりになっていた。

何であれ雇い主のものをこっそり覗くのは、家政婦として最も恥ずべき行為だと承知した上で、それでも私がノートをめくってしまったのは、それがとても美しかったからだ。罫線などお構いなく、好き勝手な方向に数式は伸び、それらが合体したかと思うとまた分裂し、矢印や√やΣやその他様々な記号が散らばり、所々乱雑に塗り潰されていたり、虫に喰われたりしていても尚、美しかった。

もちろん意味は伝わってこない。ページに隠された謎を、ひとかけらさえ共有することはできない。なのに私は、いつまでもノートを見つめていたいと思った。

いつか博士が話していた、アルティン予想の証明が載っているのだろうか。最もお得意の、素数についての考察もなされているに違いない。もしかしたら、学長賞№284を獲得した、論文の下書きかもしれない……。私はそこから、自分なりに多くのものを感じ取ることができた。鉛筆のかすれた跡からは情熱を、ばつ印には焦りを、力強く引かれた二本のアンダーラインからは確信を。そしてあふれ出る数式は、私を世界の果てへと導いてくれた。

もう少し注意深く見てゆくうち、所々ページの片隅に、私でも読み取れる走り書きがあるのに気付いた。

『解の定義体、吟味の必要』

『半安定の場合での欠陥』

『新しいアプローチ、無駄』

『間に合うか？』

『14：00図書館前、Nと』

どれもこれもが殴り書きで、半ば数式の中に埋もれているようなのに、背広に留められているメモよりはずっと生命力にあふれていた。私の知らない博士が、そこで苦闘していた。

午後二時、図書館の前で何があったのだろう。Nとは誰だろうか。その待ち合わせが、博士にとって幸福なものであってほしいと、祈らずにはいられなかった。

私はページを撫でた。博士の書き記した数式が指先に触れるのを感じた。数式たちが連なり合い、一本の鎖となって足元に長く垂れ下っていた。私は一段一段、鎖を降りてゆく。風景は消え去り、光は射さず、音さえ届かないが怖くなどない。博士の示した道標は、なにものにも侵されない永遠の正しさを備えていると、よく知っているから。

自分の立っている地面が、更に深い世界によって支えられているのを感じ、私は驚嘆する。そこへ行くには数字の鎖をたどるより他に方法がなく、言葉は無意味で、やがて自分が深みに向かおうとしているのか、高みを目指そうとしているのか、区別がつかなくなってくる。ただ一つはっきりしているのは、鎖の先が真実につながっているということだけだ。

私は最後の一冊の、最後のページをめくる。不意に鎖は途切れ、私は暗闇の中に取り残される。もうあと少し歩みを進めれば、目指すものはすぐそこにあるかもしれないのに、どんなに目を凝らしても、次に踏み締めるべき数字はどこにも見つけられない。

「ちょっとすまないが、君」

私を呼ぶ博士の声が、洗面所から聞こえてきた。

「忙しいところ、すまないんだがね、君」

「はい」

私はすべてを元あった場所に仕舞った。それから、元気よく返事をした。

五月のお給料日、阪神戦のチケットを三枚買った。六月二日、対戦相手は広島だった。私たちの住む町にタイガースが遠征してくるのは、年に二回ほどで、この日を逃すと当分チャンスは巡ってこなかった。

ルートを野球観戦に連れて行ったことは、今までなかった。考えてみれば、お祖母さんと一度動物園に行ったきりで、博物館にも映画館にも足を踏み入れたことさえなかった。彼が生まれて以来、お金の節約にばかり気を取られ、親子で楽しむ余裕などずっと忘れていた。

クッキー缶に入った野球カードを見つけた時、ふと思った。重い病を抱え、一日中数の世界を探索している老人と、物心ついた頃から、毎晩母親が帰ってくるのをただひたすら待ち続けてきた少年に、一日くらい野球の試合を観せてやったって、罰は当たらないはずだ。

正直に言えば、内野指定席三枚分の出費は痛かった。怪我の治療代が重なったせいで尚更だった。しかし、お金ならあとでいくらでも取り返せるが、老人と少年が一緒に野球を楽しめる時間は、おそらくそう沢山は残されていないだろう。そして何より、カードの世界で想像するしかなかった、汗まみれの縦縞ユニフォームや、歓声の中に吸い込まれてゆくホームランボールや、スパイクに削られたマウンドの土を、実際博士に見せてあげられるとしたら、それは家政婦の任務を越えた恵みになるはずだ。たとえそこに、江夏の姿がなかったとしても。

我ながらすばらしいアイデアだと思ったのに、予想に反してルートの反応は鈍かった。

「行きたくないって言うかも……」

ルートはつぶやいた。

「博士はにぎやかな場所は嫌いだよ」

彼の判断は的を射ていた。散髪屋へ連れ出すにも苦労したほどだったし、野球場は博士が愛する静けさとは無縁の場所だった。

「それにどうやって約束を取り付けるのさ。博士は心の準備、っていうものができないんだよ」

博士に関しては、彼はいつも驚くばかりの洞察力を発揮した。

「……心の準備、ねえ……」

「博士にとってはどんな出来事も突然に起こるんだ。あらかじめ計画が立てられないんだからね。毎日、僕たちの何倍も緊張していなくちゃならない。突然、そんなビッグイベントが飛び込んできたら、ショック死しちゃうよ」

「まさか。あっ、そうだ。チケットを背広に留めておくっていうのはどう？」

「効果はあんまりないと思うよ」

ルートは首を横に振った。

「だって、あの身体中のメモが、何かの役に立っているのをママは見たことある？」

「そうねえ。毎朝、袖口に留めた似顔絵でママの身分を確認はしているようだけど」

「あんな幼稚園児みたいな似顔絵じゃあ、僕とママの区別だってつかないよ」

「数学は得意だけど、図画は苦手なのね、きっと」

「ちびた鉛筆でメモを書いて、身体に貼っている時の博士を見ると、僕はいつも泣きたくなるんだ」

「どうして?」

「だって、淋しそうなんだもん」

わざとふてたような口調で、ルートは言った。反論できずに私は黙ってうなずいた。

「それにもう一つ、問題がある」

声の調子を変え、ルートはぴんと人差し指を立てた。

「博士が知っている時代のタイガースの選手は、誰も出場しない。皆、引退してしまっている」

彼の言うことは何もかももっともだった。野球カードを集めていた頃の選手が一人も出ていなければ、博士は戸惑うだろうし、がっかりもするだろう。ユニフォームのデザインだって今は変わっている。球場は数学の定理みたいに静かではない。酔っ払いもいれば野次も飛ぶ。そう、ルートが心配していることはすべて正しいのだ。

「うん、分かった。君の意見は理解できた。でもママはチケットを三枚買ったの。博士の分、一枚きりじゃなく、ルートの分もちゃんとここにあるの。博士が行くか行かないかは取り敢えず横に置いといて、あなた自身の気持を聞かせて。タイガースの試合、観たくないの?」

見栄を張っているのか、しばらくうつむいたまま、もぞもぞしていたが、やがて嬉しさをこらえきれなくなり、私の回りを飛び跳ねだした。

「観たい。誰が何と言おうと観たい。行くよ。絶対に行く」

いつまでもルートは飛び跳ね続け、最後には私の首に抱きついて、「ありがとう、ママ」と言った。


六月二日当日、一番心配していた天気は上々だった。私たちは四時五十分のバスに乗って出発した。

まだ日暮れには間があり、空には光がたっぷりと残っていた。バスの中には私たちと同じように球場へ向かうらしい人たちが、何人か見受けられた。

ルートは友だちに貸してもらったメガホンを持ち、頭にはもちろんタイガースの帽子をかぶり、ほとんど十分おきに、ちゃんとチケットを持ったかどうか私に尋ねた。私は片手にサンドイッチを詰めたバスケット、もう片方の手に紅茶のポットを提げていたが、あまりにもしょっちゅうルートがチケットのことを口にするせいで、こちらまで不安になり、時折スカートのポケットに手を入れてそれが無事かどうか確かめるはめになった。

そして博士は、いつも通りのスタイルだった。メモだらけの背広と、黴の生えた革靴、胸ポケットには鉛筆。バスが球場のある運動公園前に停車するまでずっと、散髪屋の時と同じく、座席の肘当てをぎゅっと握り締めていた。

私が博士に野球観戦の件を持ち出したのは、バスの時間のちょうど八十分前、三時三十分だった。その時はルートも学校から戻っており、二人でできるだけ自然な雰囲気を装いながら話を切り出した。最初は私たちの言っている意味がよく理解できないようだった。信じられないことに博士は、プロ野球の試合が全国あちらこちらの球場で行なわれており、希望してお金を払えば誰でも観戦できるのだ、という事実を知らなかった。考えてみれば、ラジオで野球中継が聴けることさえつい最近になって分かったくらいだから、仕方ないのかもしれない。彼にとっての野球は、新聞のスポーツ欄に載る記録と、カードの中にしか存在していないのだった。

「僕にそこへ、行けと言うのか？」

博士は考え込んでいた。

「もちろん、命令しているんじゃありませんよ。ご一緒にいかがですか、とお誘いしているわけなんです」

「ふむ。野球場へ……、バスに乗って……」

考えるのは博士のお得意で、このまま放っておいたら試合が終わるまででも平気で考え続けていそうだった。

「江夏には会えるかね」

いきなり痛いところを突かれ、一瞬たじろいだが、あらかじめ相談しておいた通りに、ルートが答えた。

「残念なんだけど、江夏はおととい甲子園の巨人戦に先発したから、今日の試合にはベンチ入りしていないんだ。ごめんね」

「君が謝る必要などないさ。うん、確かに残念ではあるな。で、江夏は勝ったのかな」

「勝ったよ。今シーズン七勝めだ」

一九九二年時点、背番号28を付けていたのは中田良弘投手で、肩を壊して登板する姿はほとんど見られなかった。背番号28の選手が出場しないのは、私たちにとってラッキーなのかアンラッキーなのか、判断は難しかった。もし中田がピッチャーでなければ、いくら博士でも変に思うだろうが、遠くのブルペンで投球練習をしているだけなら、年寄の目くらい誤魔化せるかもしれない。動く江夏を見たことがないのだから、ピッチングフォームだって知らないはずだ。でも、もし中田がマウンドに上がるようなことになれば、さすがに誤魔化しは効かず、博士が受けるショックも計り知れないだろう。中田は江夏と違い、右投げなのだ。ならばやはり最初から、背番号28がいない方が、すっきりとうまく運ぶのだろうか。

「ねえ、行こうよ。博士と一緒の方が楽しいよ」

ルートのこの一言が決め手となり、ようやく博士は外出を承諾した。

バスを降りると、博士は握り締める相手を座席の肘当てからルートの手に切り替えた。運動公園を球場まで歩く間も、人込みに押されてコンクリートの通路を進む間も、二人はほとんど喋らなかった。博士は普段の生活とあまりにかけ離れた場所に連れてこられた驚きで、ルートは念願のタイガース戦が観られる興奮で、言葉を忘れたようにあたりをきょろきょろ見回すばかりだった。

「大丈夫ですか」

時折私が声を掛けると、博士は黙ってうなずき、そのたびにルートの手をきつく握り直した。

三塁側特別内野へ続く階段を登りきった瞬間、私たちは同時に声を上げた。不意に開けた視界の先には、柔らかく黒々としたグラウンド、まだ誰の足跡もついてないベース、真っすぐにのびる白線、そして丁寧に手入れされた芝生の広がりが見えた。うっすらと暮れはじめた空が、手が届きそうなほどすぐ近くにあった。その時、私たちの到着を待ち望んでいたかのように、照明に灯がともった。カクテル光線を浴びた球場は、天から舞い降りてきた宇宙船だった。

果たして博士は、六月二日の広島対阪神戦を楽しんだのだろうか。後年、私とルートは折りに触れ、あの特別な一日について語り合ったが、博士が実物の野球を心から好きになってくれたかどうか、二人とも自信が持てなかった。もしかしたらお節介を働いただけで、善良な病人を無闇に疲れさせただけかもしれないと、後悔の念にとらわれることもしばしばだった。

ただ、三人で共有したささやかな風景の数々は色褪せず、むしろ時間が経てば経つほど鮮やかに浮かび上がり、私たちの気持を温かくした。背もたれがひび割れた座り心地の悪い座席、金網にしがみつき、最初から最後まで「亀山」と叫び続けていた男、芥子《からし》のききすぎた卵サンド、球場の真上を流れ星のように横切っていった飛行機のランプ……。そうしたものたちを、一つ一つ飽きもせず思い出しては懐かしんだ。野球場の思い出を語っている時は、今もすぐ隣に博士がいるような錯覚を感じることができた。

中でも私たちの一番のお気に入りは、博士がジュース売りのお姉さんに恋したエピソードだった。二回の攻撃が終わり、早々にルートはサンドイッチを全部食べ終え、ジュースが飲みたいと言い出した。売り子さんを呼び止めようとする私の手を遮り、博士は一言、「いかん」と言った。「どうしてですか？」と尋ねても、黙って答えなかった。次に通り掛かった売り子さんに合図を送ろうとした途端、再び博士は「いかん」の一言を発した。その口調があまりにも大真面目だったので、子供の身体に悪いという理由で、博士はルートにジュースを飲ませたくないのだろうと思った。

「家から持ってきた紅茶で我慢しなさい」

「嫌だよ。苦いもん」

「じゃあ、売店で牛乳を買ってくるわ」

「僕は赤ん坊じゃないんだからさ。それにだいたい、球場で牛乳なんか売ってるわけがないよ。大きい紙コップに入ったジュースを、ぐいぐいっと飲むのが球場のルールじゃないか」

彼には彼なりの理想があるらしかった。仕方なく私は博士に、

「一杯だけ、許してやっていただけませんでしょうか」

と、お伺いを立てた。博士は大真面目な表情を崩さないまま、私の耳元に顔を近付け、ささやいた。

「ジュースを買うのならば、あのお嬢さんからにしなさい」

博士が指差したのは、向こうの通路を登ってゆく売り子さんだった。

「何故です？　誰から買ったって、同じですよ」

いくら聞いても、なかなか理由を明かさなかったが、喉が乾いて我慢できなくなったルートに散々責められた挙句、ようやく白状した。

「あちらのお嬢さんが、一番可愛らしいからです」

博士の審美眼は間違っていなかった。ざっと見回したところ、彼女が一番美人で、一番感じのいい笑顔を振りまいていた。

おかげで私たちは、彼女がこちらに近付いてくるタイミングを逃してはいけないと、グラウン

ドよりも観客席の方に気を取られてしまい、三回表、タイガースが4安打して追加点を上げた場面に集中できなかった。

ようやくお目当ての彼女がすぐ下の通路までやって来ると、博士は「はいっ」と勢い良く手を挙げ、ルートのためにジュースを買った。コインを差し出す博士の手が震えていても、その身体がメモで覆われていても、彼女の笑顔は曇らなかった。ただ一人ルートだけが、ジュース一杯を買うのにどうしてこんなにもたもたしなくてはいけないのかと、文句を言っていたが、やがて彼女が近付いてくるたび、頼んでもいないのに博士が勝手にポップコーンやアイスクリームや二杯めのジュースを買ってくれたため、機嫌を直した。

そうした意外な一面を見せながらも、やはり博士は数学者であることに変わりはなかった。球場を見渡しながら、彼が最初に口にした言葉は、

「ダイヤモンドは一辺が27・43メートルの正方形」

だった。更に自分とルートの座席番号が7－14と、7－15であるのに気づくと、着席するのも忘れ、二つの数字について語りだした。

「714はベーブ・ルースが一九三五年に作った通算ホームラン記録。一九七四年四月八日、ハンク・アーロンはこの記録を破る715本めのホームランを、ドジャースのアル・ダウニングから放った。

714と715の積は、最初の七つの素数の積に等しい。

714×715=2×3×5×7×11×13×17=510510

あるいは、714の素因数の和と、715の素因数の和は等しい。

714=2×3×7×17

715=5×11×13

2+3+7+17=5+11+13=29

　こうした性質を持つ、連続する整数のペアはとても珍しい。20000以下には二十六組しか存在しない。ルース=アーロン・ペアだ。素数と同じで、数が大きくなればなるほど分布も薄くなる。最小は5と6だがね。無限に存在するかどうかの証明は、かなり厄介だぞ。しかし何より大事なのは、僕が7-14で、ルートが7-15に座るということだ。決して逆であってはならん。古い記録を、新しい者が打ち破る。それが物事の道理だ。そうは思わないかい?」

「うん、分かった分かった。ねえ、見て、あれ新庄だよ」

　普段は博士の講義を熱心に聞くルートも、この時ばかりは上の空で、自分の座席番号など何番だって構わない様子だった。

　結局博士は試合の間中、事あるごとにお得意の数字を持ち出した。それだけ緊張が大きかったのだろう。周囲の騒がしさに負けまいとして、声のトーンは徐々に高まってゆき、明らかに私たちだけ、回りのタイガースファンから浮いていた。先発ピッチャー中込がアナウンスされ、歓声の中彼がマウンドに向かっている最中には、

「マウンドの高さは10インチ、25・4センチ。マウンドからホームに向かって6フィートの地点まで、1フィートごとに1インチずつ下がっている」

広島打線の一番から七番までが左打者なのに気付くと、

「左対左の打率データは0・2568、右対右は0・2649」

広島の西田に盗塁を決められ、皆が舌打ちしている時には、

「ピッチャーがモーションを始動させ、ボールを放すまでに0・8秒。ボールがキャッチャーミットに届くまで、今のはカーブだから0・6秒。ここまでで1・4秒経過。ランナーが走る距離は、リードを取っていた分を差し引いて24メートル。ランナーの50メートル走が……二塁に到達するのに……よってランナーを刺すためにキャッチャーに残された時間は1・9秒である」

という具合だった。

しかし救いだったのは、わたしたちの左隣に座ったグループは終始、賢明な無関心を貫いてくれ、右隣にいたおじさんは、絶妙の合いの手を入れて、雰囲気を和ませてくれたことだった。

「下手な解説者よりよっぽど年季が入ってるねえ」

「あんた、立派な公式記録員になれる」

「ついでに阪神の優勝マジックも計算してくれよ」

はじき出される計算をすべて理解していたとは思えないが、おじさんは広島の選手を野次る合間に、こまめに講釈に耳を傾けていた。おかげで博士の計算が単なる妄想ではなく、きちんとした理論に裏付けられているという印象を、少しでも周囲に与えることができたのではないだろうか。そのうえおじさんは私たちに、おつまみの殻付きピーナッツを分けてくれさえした。

試合は一回の表、いきなりタイガースが和田と久慈のヒットで先取点を取り、更に続けて二回には五安打で四点を追加した。日が暮れて涼しくなってきたのでルートにジャンパーを着せたり、博士に膝掛を渡したり、おしぼりで手を拭いたり、落ち着かないうちにどんどん点が入ってしまい、呆気に取られるほどだった。ルートは大喜びしてメガホンを打ち鳴らし、博士は片手でサンドイッチを摘んだまま、不器用に拍手をした。

博士はプレーに見入っていた。ちょっとしたボールの行方にも、感嘆したり、納得したり、眉間に皺を寄せたりした。時には、前に座っている人たちのお弁当を覗いたり、ポプラの梢に掛かる月を見上げたりもした。

広島ファンより三塁側の阪神ファンの方が目立っていた。黄色の方が面積も広く、元気もよかった。もっとも広島は中込に押さえられ、一向にチャンスが訪れず、騒ぎたくても騒げない試合運びだった。

中込が一球ストライクを投げ込むだけで、歓声が沸き起こった。まして点が入った時には、歓喜の塊が弾け、それが渦となって球場を包んだ。こんなにも大勢の人々が一度に喜んでいる姿を見るのは、生まれて初めてだった。考えているか、考えているのを邪魔されて怒っているか、私に向かってはほとんど二通りの表情しか見せてくれない博士でさえ、喜んでいた。たとえ控えめな表現方法であったとしても、間違いなく歓喜の渦の一員となっていた。

しかしその時そこにいた誰よりも独特な喜び方をしていたのは、金網にしがみ付いている亀山ファンの男だった。二十代らしい若者だったが、作業着の上に亀山のユニフォームを羽織り、腰に携帯ラジオをぶら下げ、とにかくひとときたりとも金網に絡ませた十本の指を解こうとしなかった。広島の攻撃中にはレフトの亀山に視線を送り続け、彼がウェーティングサークルに姿を見せただけで興奮し、打席に入っている間中、名前を呼び続けた。時には激励風に、時には哀願調に声の感じを変化させながら、一ミリでも本人に近付こうとするかのように、おでこに網目模様ができるのも構わず、顔をぐいぐいと金網に押しつけていた。相手選手を野次ったりはせず、亀山が凡退しても愚痴やため息さえもこぼさず、ひたすら男が発する言葉はただ一言、「亀山」のみだった。その一言に魂のすべてを注ぎ込んでいた。

だから亀山がタイムリーヒットを打った時には、失神してしまうのではないかと皆心配し、実際彼の後ろに座っていた誰かが、思わず背中を支えようとしたほどだった。打球はすばらしい勢いでベースの間を抜け、芝生の上を滑ってゆき、追い掛ける外野手たちは最早小さな黒い影にしか過ぎず、亀山の打ったボールだけがカクテル光線の祝福を浴びていた。男は息のかぎりに叫び声を響かせ、肺が空っぽになっても尚嗚咽のようなものを漏らし続け、髪を振り乱し、身悶えした。とっくに次のパチョレックが打席に入っているのに、男の恍惚は長く尾を引いた。彼に比べれば、博士の応援の方がずっとまともだった。

博士は自分が収集した野球カードの選手が一人も見当たらないことに、さほどのこだわりを見せていなかった。それまで自分が蓄えてきた野球のルールや記録についての知識が、現実のプレーとどう結びついているかについて考えるのに忙しく、選手の名前にまで手が回らないようだった。

「あの小袋には何が入っているのかね」

「ロージンバッグだよ。松ヤニだね。滑り止めに使うんだ」

「何故いちいちキャッチャーは一塁に向かって走るのかね」

「バックアップのためだよ。球が逸れてもすぐフォローできるようにね」

「ベンチにファンが紛れ込んでいるようだが……」

「違うよ。あの人は外国人選手の通訳だと思うよ」

博士は分からないことは何でも正直にルートに尋ねた。時速150キロのボールが持つ運動エネルギーや、ボールの温度と飛距離の関係についてならいくらでも説明できるのに、ロージンバッグは知らないのだった。もう手はつないでいなかったが、博士はルートを頼りにしていた。数字を語り、ルートに質問し、可愛いお嬢さんから買物し、ピーナッツを口に運んだ。そしてその合間に、幾度となくブルペンを見つめていた。やはり、28は不在だった。

試合は阪神が6対0とリードしたまま、速いテンポで進んでいった。回を追うにつれ、勝敗より中込のピッチングが注目の的になってきた。八回を終わって、中込はまだ一本のヒットも許していなかった。

勝っているのに、三塁側は少しずつ雰囲気が重苦しくなってきた。攻撃が終わり守備になると、堪え難い苦行に臨むようなため息が、あちらこちらから聞こえた。阪神が点を取り続けていればまだ楽なのだが、三回までで六点を入れて以降、ずっとゼロ行進で、否応なく守備に集中せざるを得ない状況に陥っていた。

九回の裏、ベンチを出てマウンドへ歩いて行く中込の背中に向かい、我慢に我慢を重ねた末のうめき声を、誰かが漏らした。

「あと三人……」

それだけは言って欲しくなかったという皆の心のざわめきが、さわさわ、さわさわ、と、観客席に広がった。その誰かのうめき声に答えたのは、博士一人だった。

「ノーヒットノーランが達成される確率は、0・18パーセント」

広島は先頭打者に代打を送った。聞いたこともない名前の選手だったが、誰一人、バッターになど注意を払っていなかった。中込は第一球めを投げ込んだ。

振り切ったバットから、優雅な放物線を描き、ボールが夜空に舞い上がった。博士の古い大学ノートに書かれていたような放物線だった。ボールは月よりも白く、星よりも美しく、群青色の宙のてっぺんに浮かんでいた。皆がうっとりとその一点を見上げていた。

ボールが落下をはじめた瞬間、これは決して優雅な打球などではないと悟った。止めようもなく見る見るスピードは増し、風を切り、長い旅を経て宇宙から落下してくるもののような熱気を撒き散らしていた。

どこかで悲鳴が上がった。

「危ない」

と、博士の声が耳元で聞こえた。打球がルートの膝をかすめ、足元のコンクリートに突き刺さり、大きくバウンドして背後に飛んでいった。

博士はルートに覆いかぶさっていた。首と両手を精一杯にのばし、絶対にこのか弱き者を傷つけてはならぬという決意をみなぎらせながら、全身でルートを包み込んでいた。

ボールが去ったあとも、いつまでも二人は動かなかった。もっともルートは、博士がどいてくれないので、元の体勢に戻りたくても戻れないのだった。

「ファールボールにはくれぐれもご注意下さい」

場内アナウンスが流れた。

「もう、平気だと思うんですけど……」

私は声を掛けた。博士の手からこぼれたピーナッツの殻があたりに散乱していた。

「硬式球の重さは１４１・７グラム……地上15メートルの距離から落下する場合……12・１キログラムの鉄球を……衝撃は85・39倍になり……」

博士のつぶやき声が聞こえた。二人の背もたれには７１４と７１５が刻まれていた。私と博士が２２０と２８４で結ばれているのと同じように、彼らもまた特別な秘密を共有する数字でつながり合っていた。何者にも振りほどくことのできない結び付きだった。

不意に観客席がどよめいた。中込の二球めが、ライト前へ運ばれるのが見えた。ボールは芝生の上を転がっていた。

「亀山」

金網男がまた叫んだ。

6

離れに帰り着いたのは夜の十時近くだった。興奮はまだ冷めてはいなかったが、それでもさすがにルートはあくびをかみ殺していた。博士を送った後すぐにアパートへ戻るつもりだったのに、彼の疲労が予想以上だったので、ベッドへ入るまで見届けることにした。球場帰りの人々で満員のバスに、くたびれてしまったらしい。バスが揺れるたび人波に押され、メモのクリップが取れやしないかとうろたえていた。

「もうすぐ着きますよ」

繰り返し励ます私の声も、耳に入っていなかった。バスに乗っている間中、できるだけ他人と接触しないよう、妙な具合に身体をよじっていた。

疲れているからではなく、普段からいつもそうしているのだろう。博士は靴下から上着、ネクタイ、ズボンと着ているものを順番に床に投げ出してゆき、最後下着姿になると、歯も磨かないままベッドへ潜り込んだ。さっきトイレに入った時、誰にも気付かれないよう素早く磨いたのに違いないと、私は思うことにした。

「今日はありがとう」

目を閉じる前、博士は言った。

「おかげでとても楽しかった」

「ノーヒットノーランは駄目だったけど」

ルートは枕元にひざまずき、掛け布団の乱れを直した。

「江夏もノーヒットノーランをやったぞ。しかも延長戦だ。一九七三年、最終戦まで巨人と優勝を争った年の八月三十日だった。中日を相手に延長11回の裏、江夏がサヨナラホームランを打って1対0で勝ったんだ。守りも攻めも、全部一人でやってのけた訳だ……。しかしやっぱり今日は、江夏は投げなかったなあ……」

「うん。今度はローテーションをちゃんと調べてから切符を買うよ」

「とにかく、勝ったんですからいいじゃありませんか」

私は言った。

「そのとおりだ。6対1。なかなかいいスコアだ」

「タイガースは二位に浮上したよ。おまけに巨人は大洋に負けて最下位に逆戻り。こんなラッキーな一日は滅多にないよね、博士」

「そうだ。何もかもルートが球場へ連れて行ってくれたおかげだ。さあ、気をつけてお帰り。ママの言い付けをよく守って、早く寝なくちゃいかん。明日も学校だろう？」

口元にだけ微笑みを浮かべ、ルートの答えを聞くより前に、そのまま博士は目を閉じた。目蓋が赤みを帯び、唇がひび割れ、いつの間にか髪の生え際に汗がたまっていた。私は額に掌を当てた。

「まあ、大変」

博士は熱を出していた。しかも相当な熱だった。

思案の末、私とルートはアパートへ帰らず、離れに泊まることにした。病人を放ってはおけないし、それが博士となればなおさらだった。就業規則だの契約だのを気にして愚図愚図するよりは、腰を据えて看病する方が私にとっても楽だった。

予想どおり家中どこを探しても、氷枕、体温計、解熱剤、うがい薬、診察券等など、こういう場合役立ちそうなものは何一つ見つからなかった。窓から覗くかぎり、母屋の明かりはまだ消えていなかった。境の垣根のあたりで、ちらっと人影が動いているようにも見えた。未亡人に相談できれば助かるが、離れのトラブルは母屋へ持ち込まぬこと、という約束が思い出された。私は窓にカーテンを引いた。

とにかく自分一人でどうにかするより他に仕様がなく、ビニール袋に砕いた氷を入れ、タオルでくるんで首の後ろと両脇と太股の付根を冷やし、冬用の毛布を引っ張り出してきて掛け、水分補給のためのお茶を沸かした。全部ルートが熱を出した時にやるのと同じだった。

ルートは書斎の隅のソファーに寝かせた。書物に占領され本来の役割を果たしていなかったのだが、片付けてみると案外立派なソファーで寝心地は悪くなさそうだった。博士の具合を心配しつつも、ルートはすぐに寝息を立てはじめた。積み上げた数学書の一番上に、タイガースの帽子を載せていた。

「どうです？　苦しくありませんか？　喉が渇いたら言って下さいね」

声を掛けても反応はなかった。熱のため意識が朦朧としているからではなく、眠りに落ちているからだと、素人にも分かった。少し息が荒いだけで苦しむ気配は見受けられず、目蓋を閉じた表情は安らかでさえあり、深い夢の世界をさ迷っているようだった。氷を取り替える時も、汗を拭いている時も、一度も目を覚まさず、従順に身を任せていた。

メモ付きの背広から解放された身体は、老人であることを差し引いても、か細くひ弱だった。お腹や太股や二の腕の肉はたるみ、だらしない皺が寄り、身体中どこに触れても青白い皮膚が窪むだけで、弾力がなかった。爪の先にでも、秘められた生命力のようなものを感じ取れないかと目を凝らしたが無駄だった。私はいつか博士が教えてくれた、難しい名前の数論学者の言葉を思い出した。

『神は存在する。なぜなら数学が無矛盾だから。そして悪魔も存在する。なぜならそれを証明することはできないから』

だとすれば、博士の肉体は数字の悪魔に養分を吸い取られたとしか思えなかった。

真夜中を過ぎるにつれ、肌に触れる感じから、熱は上がっているようだった。漏れる息は熱く、次から次へと汗が吹き出し、氷の溶けるスピードも早くなってきた。薬局へ走った方がいいのだろうか、無理に人込みへ連れ出したのが間違いの元だったかもしれない、もしも脳の状態がひどくなっているのだったらどうしよう……。あれこれ心配事が心をよぎった。けれど結局は、こんなによく眠っているのだから大丈夫なはずだと、自分を慰めた。

球場に持っていった膝掛にくるまり、私はベッドの下に横になった。カーテンの隙間から差し込む月の明かりが、床に長くのびていた。野球を観たのが遠い昔の出来事のように感じられた。私の左側に博士が、右側にルートが眠っていた。目を閉じるといろいろな音が聞こえてきた。博士のいびき、毛布の衣擦れ、氷の溶ける気配、ルートの寝言、ソファーの軋み。二人の発する音たちは、発熱のアクシデントを忘れさせ、私を安堵させ、眠りに導いてくれた。

次の朝、ルートは博士が目覚める前に起き、アパートへ寄って教科書を揃え、友だちに返すタイガースのメガホンを持って学校へ行った。朝になって心持ち顔の火照りはとれ、呼吸も落ち着いてきたようだったが、相変わらず眠りは深く、目を覚ます様子はなかった。今度はよく眠っているること自体が心配になってきた。私は額をつついた。それから毛布をめくり、喉仏、鎖骨の窪み、脇の下、おへそと、次々押したりくすぐったりしてみた。耳の穴に息を吹き込んでもみた。しかし効果はなく、目蓋の下で、微かに眼球が動くだけだった。

博士が眠り病に罹ったわけではないとはっきりしたのは、私が台所仕事をしている時で、もうお昼に近い時分だった。書斎で物音がし、行ってみると博士がいつも通り背広を着込み、ベッドに腰掛けうな垂れているところだった。

「起き出したりしちゃいけませんよ。熱があるんです。安静にしていないと」

博士は私を見上げ、何も言わず、そのままたうつむいた。目やにが溜り、髪は乱れ、ネクタイはきちんと結ばれないまま、だらしなく首から垂れ下っていた。

「さあ、洋服なんか脱いで、新しい下着に着替えましょう。昨夜は汗びっしょりだったんです。あとでパジャマを買ってきますね。シーツも取り替えて、さっぱりすれば気分もよくなります。きっと疲れが出たんです。三時間も野球を観戦したんですから。無理にお誘いして、申し訳ありませんでした。でも心配はいりません。温かくして、栄養のあるものを食べて、大人しくしていればじきに治ります。ルートもいつもそうなんです。さあ、まずは何か口に入れないと。リンゴジュースでも持ってきましょうか?」

覗き込む私の肩を、博士は押し戻し、顔を背けた。

その時私は、自分が初歩的なミスを犯しているのにようやく気付いた。博士は昨日野球を観に行ったことも、私のことも、もう忘れてしまっていたのだ。

博士はじっと自分の胸元に視線を落としていた。丸めた背中が一晩でいっそう縮んで見えた。消耗しきった身体はぐったりとして動けず、ただ心だけが行き場を見失い、どこかあやふやな場所をさ迷っているようだった。数字の秘密を解き明かしている時のひた向きさは去り、ルートに示す親愛の情は名残りさえなく、全身から生気が失われていた。

やがてすすり泣きが聞こえてきた。最初それが彼の口から聞こえているとは気付かず、部屋のどこかで壊れたオルゴールが鳴っているのかと錯覚したほどだった。ルートが手を切った時耳にしたのとは種類の違う、誰のためでもない、ただ自分一人きりのための、ひっそりとした泣き声だった。

一番目立つ場所に留められたメモ、上着を羽織ると嫌でも目に入ってくる、一番大切なメモを博士は読んでいた。

《僕の記憶は80分しかもたない》

私はベッドの端に腰を下ろした。それ以上、何が自分にできるのか見当もつかなかった。初歩的なミスどころか、私は致命的なミスを犯してしまっていた。

毎朝、目が覚めて服を着るたび、博士は自分が罹っている病を、自らが書いたメモによって宣告される。さっき見た夢は、昨夜じゃなく、遠い昔、自分が記憶できる最後の夜に見た夢なのだと気付かされる。昨日の自分は時間の淵に墜落し、もう二度と取り返せないと知り、打ちひしがれる。ファールボールからルートを守ってくれた博士は、彼自身の中では既に死者となっている。毎日毎日、たった一人ベッドの上で、彼がこんな残酷な宣告を受け続けていた事実に、私は一度も思いを馳せたことがなかった。

「私は家政婦です」

嗚咽が途切れるのを待ってから、私は言った。

「あなたの手助けをするために雇われた、家政婦です」

博士は潤んだ瞳をこちらに向けた。

「夕方になると、息子もやって来ます。頭の形が平らだから、ルートと呼ばれています。あなたが名付けてくれました」

私は博士の袖口に留まった、似顔絵入りのメモを指差した。これが昨日、バスの中で落ちてしまわなくてよかった、と思った。

「君の誕生日は、いつかね」

熱のせいで弱々しい声ではあったが、嗚咽以外の言葉が彼の口から発せられたことに、いくらかほっとした。

「二月二十日です」

私は答えた。

「220です。284と友愛の契りを結んだ、220です」


熱は三日間続いた。その間博士はほとんど眠っていた。何の苦しみも訴えず、わがままも言わず、ただひたすら眠り続けた。

食事の時間になっても目を覚ます気配はなく、ベッドサイドに用意した軽食にも手を付けないので、仕方なく私が一匙一匙口に運んだ。上半身を引っ張り起こし、頬をつねり、ぼんやり口を開けた瞬間を逃さず、スプーンを押し込んだ。それでもカップ一杯のスープを飲む間が我慢できず、途中でうつらうつらしてしまうのだった。

結局病院には行かなかった。外出したことが熱の原因だとしたら、家でおとなしくしているのが一番の養生だと思われた。急激に外気に触れたための、知恵熱みたいなものだろう、というのが私の見立てだった。第一、彼を目覚めさせ、靴を履かせ、自分の足で歩いて病院まで行かせるのは不可能だった。

ルートは学校から帰ってくると一番に書斎に入り、何をどうするわけでもなく、ベッドの脇に立っていた。博士がゆっくり休めないから、さあもうあっちへ行って、宿題をしなさい、と私が声を掛けるまで、寝顔を見ていた。

四日目の朝、熱が下がって以降は、順調に回復していった。寝ている時間が減り、それに反比例して食欲が戻ってきた。ベッドを出て食卓に座るだけの体力が回復し、きちんとネクタイを結べるようになり、食堂の安楽椅子で数学の本を広げるようになった。数学雑誌の懸賞問題にもトライしはじめた。考えている時、私が邪魔をしたと言っては不機嫌になり、夕方、ルートを出迎えて抱擁する頃には、機嫌が直った。算数のドリルを一緒に解き、彼の頭を心行くまで撫でた。すべてが元通りだった。

博士が元気になってほどなく、組合長から事務所に呼び出しを受けた。定期的な報告業務以外で呼び出されるのは、間違いなく悪い兆候だった。顧客から苦情が入り、厳重注意されるか、謝罪を要求されるか、罰金か、いずれにしても気の重い話だった。ただ、博士は八十分の壁に阻まれて何かを訴えることは無理だろうし、母屋に足を踏み入れるな、という約束は守っているので、もしかすると、九つのブルースターを獲得した要注意人物のその後の様子を、探りたいだけかもしれない、と思ったりもした。

「まずいよ、君」

組合長の最初の一言で、自分の予測の甘さを思い知らされた。

「クレームだよ」

彼は禿上がった額を撫でながら、いかにも困惑した表情で言った。

「どのような……」

私は口ごもった。

今までにも何度か、顧客からの苦情を受けたことはあった。しかしすべて相手方の誤解や独り善がりによるもので、私に非がないのを組合長も理解し、結局は「そこのところ、まあ、うまくやってくれよ」の一言で丸くおさめてくれた。なのに今回ばかりは状況が違っていた。

「とぼけてもらっては困るなあ。とんでもない間違いを犯したそうじゃないか。例の数学の先生の部屋に、泊まったんだって？」

「間違いなんか犯していません。誰ですか、そんな下品な勘繰りをするのは。全く滑稽です。不愉快です」

私は抗議した。

「誰も勘繰ってなどいやしない。泊まったのは事実だ。そうだろ？」

私はうなずくしかなかった。

「勤務時間を延長する必要が生じた場合は、あらかじめ組合に届け出ること、もし緊急の事態により止むを得ない場合でも、お客さまの認め印をいただいた超過勤務手当ての申請書と事後報告書を提出すること。就業規則にはこうあるはずだが」

「ええ、よく分かっています」

「その規則を破ったことが、間違いを犯したということだ。どうしてそれが下品で滑稽なのかね」

「いえ、違うんです。私は別に超過勤務をした覚えなどないんです。ただ、ちょっとした親切心から、余計な世話を焼いただけの話で……」

「勤務でないとしたら、一体何なんだ？　仕事でもないのに、男性の部屋に泊まったとなれば、それこそ勘繰られても仕方ないじゃないか」

「病気だったんです。急に熱を出されて、一人ぼっちにしておけなかったんです。ルールを無視したのは、私のミスです。申し訳ありませんでした。でも、家政婦として不適切な行為は何もしておりませんし、むしろ、その時しなければならない当然の義務を果たしたと思っています」

「息子さんに関してはね……」

組合長は博士の顧客登録カードの縁を、人差し指でなぞった。

「特別の便宜をはかってきたつもりだ。派遣先に子供を連れ込むなんて、前例のない措置なんだよ。お客様からのご提案でもあり、まあ、少し難しいお相手でもあるから、こちらとしても譲歩した。どうして一人だけ特別扱いなのかと、他の家政婦からちらほら不平も聞こえてきている。だからこそ、誰からも誤解を受けないような、きちんとした勤務態度を取ってもらわないと、こちらとしても困るんだよ」

「本当にすみません。私が軽率でした。息子の件は、感謝しております。わがままを聞いていただいて、何とお礼申し上げてよいか……」

「それでだ。君には担当を外れてもらう」

えっ、と私は聞き直した。

「今日からもうあちらへは出勤しなくてよろしい。一日欠勤扱いとして、明日、新しいお客様のところへ面接へ行くように」

組合長は博士の顧客カードを裏返し、ブルーのスタンプを押した。十個めの星印だった。

「ちょっと、待って下さい。急にそんなことを言われても困ります。一体誰が私をやめさせたがっているんでしょう。博士ですか？　組合長ですか？」

「お義姉さんだよ」

私は首を横に振った。

「でも私は面接の時以来、一度もお義姉さんとは顔を合わせていないんですよ。彼女に迷惑を掛けた覚えはありません。離れの問題を母屋に持ち込むな、という命令を忠実に守ってきました。

あの人は賃金を出して下さる方ではありますが、私の仕事ぶりについては一切関知していないんです。なのにどうして私を馘にできるんですか」

「お義姉さんは君が書斎に泊まったことも、ちゃんとご存じだ」

「覗き見していたんですね」

「先方には君を監視する権利がある」

あの晩、垣根のくぐり戸のあたりで人影が動いたのを思い出した。

「博士は病気です。しかも、普通の病人以上に細やかな手当てが必要なんです。通り一遍の看護では役に立ちません。今日私が行かなかったら、たちまち困り果ててしまわれます。今頃たぶん、ベッドから起き出して、背広のメモに気付いて、一人ぼっちで……」

「代わりの家政婦なら、いくらでもいる」

組合長は私の言葉を途中で遮り、事務机の引き出しを開け、博士の顧客カードをホルダーに差し込んだ。

「以上だ。これですべて決まり。変更の余地はなし」

ピシリ、と引き出しが閉まった。私の気分とは裏腹な、威勢のいい音だった。こうして私は、博士の家政婦を馘になった。

今度の雇い主は、税理士事務所を経営している夫婦で、アパートからは電車とバスを乗り継いで一時間以上もかかった。勤務時間が夜九時までと長く、自宅と事務所の仕事を区別なくやらされ、そのうえ奥さんが意地の悪い女だった。たぶん、組合長はペナルティーを科したつもりなのだろう。ルートは再び、鍵っ子に逆戻りだった。

雇い主との別れは、この仕事に付き物だ。特に、あけぼののような派遣組合に属していれば尚更だった。先方の事情はしょっちゅう変わるし、相性のぴったりくる組合わせには、滅多に出会えない。一つの所に長くいればいるほど、不都合も生じやすくなる。

わざわざ私のために送別会を開いてくれた家もあれば、涙ぐみながらプレゼントを贈ってくれた子供もいた。かと思えば、一言の挨拶もないまま、食器や家具や衣類の消耗度を計算した請求書だけを突き付けられたこともある。

その都度私は、過剰に反応しないよう自分に言い聞かせてきた。無闇に寂しがったり、傷ついたりする必要はない。私は彼らにとって行きずりの人間であり、この次こちらを振り向いた時、名前さえ忘れられていて当然なのだ。私が彼らの名前を次々忘れてゆくのと、何ら変わりない。実際、次の雇い主の所へ赴けば、新しいルールを覚えるのに忙しく、感傷などすぐさまどこかへ去ってしまう。

しかし今回ばかりは勝手が違った。私を一番苦しめたのは、博士が私たちを、もう二度と思い出してはくれないという事実だった。博士は決して、私が辞めた理由をお義姉さんに尋ねたり、ルートの消息を案じたりはできない。食堂の安楽椅子で一番星を見つめている時、あるいは書斎で数学の問題を解いている合間、私たちとの思い出に耽る自由さえ奪われている。

そう考えると、辛かった。取り返しのつかない過ちを犯した自分が情けなく、腹が立った。当然、新しい仕事には集中できなかった。命じられる作業の多くがハードな肉体労働であったにもかかわらず（外車五台の洗車や、四階建てのビルの階段掃除や、十人分の夜食の用意）、頭の片隅に巣くう博士の姿が気になり、神経の方が先に疲れてしまった。仕事中、心に浮かんでくる博士は、いつもベッドでうな垂れていた。その姿にとらわれているうち、単純なミスを繰り返して、奥さんに怒られた。

私の後任が誰になったのかは分からない。メモの似顔絵とかけ離れた人でなければいいが、と思う。新しい家政婦に向かい、やはり博士は電話番号や靴のサイズを尋ね、そこに隠された暗号を解き明かしているのだろうか。博士が私の知らない誰かと、数字の秘密を共有しているという想像は、あまり気分のいいものではなかった。彼が私だけに教えてくれた数字の魅力たちが、色褪せてゆくような気がした。昨日も今日も、世界に何が起ころうと変わらず、数字はただそこに、あり続けているだけなのに。

ひょっとしたら後任の家政婦が博士の気難しさに音を上げ、やはり私でなければ駄目だと、組合長も考え直してくれるのではないだろうか。時折、そんな虫のいい想像にかられることもあった。しかしすぐに首を横に振り、幻想を打ち消した。私がいなければ、なんて思い上りもいいところだ。自分が思っているほど、相手は私を必要としていない。私の代わりになる人はいくらでもいる。組合長が言った通りなのだ。

「どうしてもう博士の所へ行かないの？」

ルートは何度も同じ質問をした。そのたび私は、

「事情が変わったのよ」

としか答えられなかった。

「どんな事情？」

「いろいろと、込み入った事情よ」

ふうんと鼻を鳴らし、ルートは首をすくめた。

六月十四日の日曜日、タイガースの湯舟が甲子園でノーヒットノーランを達成した。私とルートは晩ご飯がすんでから、お風呂にも入らず、ずっとラジオを聞いていた。真弓が3ラン、新庄がソロホームランを打ち、八回が終わって6対0だった。スコアも対戦相手のカープも、中込の時と同じだった。

カープの打者が凡退するたび、アナウンサーの声のトーンも球場の熱気も高まっていったが、

逆に私たちは無口になった。九回、先頭打者がセカンドゴロに倒れると、ルートはため息をついた。お互い相手が何を思い出し、何を考えているか、よく分かっていた。だからこそ余計な口をきかなかった。

最後のバッター、正田の打球が飛んだ瞬間、実況はかき消され、歓声だけがラジオを包んでいた。やがて、「アウト、アウト」というアナウンサーの叫びが耳に届いた。

「やったね」

静かな口調で、ルートは言った。私は黙ってうなずいた。

「……プロ野球史上五十八人め……タイガースでは昭和四十八年江夏豊以来、十九年振りの……」

アナウンサーの声が途切れ途切れに聞こえてきた。

私たちはどんなふうに喜びを表現したらいいのか戸惑っていた。そもそも喜ぶべきなのかどうかも分からなかった。タイガースが勝ったというのに、しかも大記録が達成されたというのに、むしろ寂しい気分に陥っていた。ラジオから伝わってくる興奮は、私たちに六月二日の野球観戦の日をよみがえらせ、7—14に座っていた博士が今はもう遠くに行ってしまった事実を思い起こさせた。あの時、最終回の先頭バッター、名もない代打が放ったルート直撃の大ファールボールは、自分たち三人にとっての、不運の前兆だったかもしれない、という思いにとらわれていた。

「さあ、もう寝ましょう。明日も早いんだから」

私は言った。

「うん」

ルートはラジオのスイッチを切った。


一番最初のファールボールの呪いは、もちろん中込のノーヒットノーランを台無しにするライト前ヒットだった訳だが、それ以降、発熱と誠、という不吉な出来事が立て続けに起こり、更に連鎖は続いていった。それらをすべてファールボールの呪いと決め付けるのは無理があるかもしれないが、私の心をかき乱すには十分だった。

ある日、仕事へ向かうバスの停留所で、見知らぬ女にお金を取られた。スリやひったくりに会ったわけではなく、私が自ら女にお金を手渡したのだから、警察に訴える筋合いでもないのだが、もしあれが新手の泥棒だとしたら見事なものだ。女は堂々と、真っすぐ私に近付いてきて、前置きも挨拶も一切ないまま、手を差し出し、ただ一言「金」と言ったのだった。三十代後半の大柄な色白の女で、初夏だというのにスプリングコートを着ている以外、風貌に不審なところはなかった。こざっぱりとして浮浪者には見えないし、切羽詰まった様子でもなかった。道を尋ねるように平静だった。いや逆に、私に道を教えているかのようでさえあった。

「金」

女はもう一度繰り返した。

私はお札を一枚、その掌にのせた。自分でも思いがけない行動だった。刃物で脅されてもいないのに、なぜ貧乏な自分がそんなことをしたのか、説明不能だった。女はお札をコートのポケットにしまい、近付いてきた時と同じく無言で遠ざかっていった。丁度入れ違いにバスが到着した。

税理士宅へ向かう道中、私はずっと、自分のお金が女にとってどれほど貴重な役目を果たすか、想像してみた。お腹を空かした幼子のパン代になるか、病気の親の薬代になるか、一家心中を思い止まらせるか……。けれどどんな想像も私の心を晴れやかにはしてくれなかった。お金が惜しかったからではない。まるで私自身が他人のお情けを受けたような、みじめな気持になってしまったからだ。

また別のある日、母の命日にお墓参りをした時だった。墓標の裏の藪に、子鹿の死骸が横たわっていた。完全に白骨化してはおらず、背骨のあたりには斑点模様の皮膚がぼろ切れのように張り付き、投げ出された四本の脚は、息絶える瞬間まで立ち上がろうと苦闘した形のまま、まだ胴体につながっていた。内臓は溶け出し、目は暗い空洞となり、半開きの口からは十分に育ちきっていない小さな歯がのぞいて見えた。

最初に見つけたのはルートだった。

「あっ」

と言って指差し、私を呼ぶことも視線をそらすこともできずにいた。

おそらく山から駆け降りてきて、墓標に激突し、そのまま息絶えたのだろう。よく見ると墓石に肉片と血の跡らしきものが残っていた。

「ねえ、どうしよう。どうしたらいいの？」

「大丈夫。このままでいいのよ」

私たちは母に手を合わせるよりももっと長く、子鹿のために祈った。その小さな死が、母の魂に寄り添ってくれますようにと祈った。

お墓参りの次の日、新聞の地方版にルートの父親の写真を見つけた。ある財団が若手の技術研究者に贈る賞を、彼が受賞したらしい。片隅の小さな記事で、写真はぼやけていたが、間違いなく彼だった。きちんと十年分、歳を取っていた。

私は新聞を閉じ、くしゃくしゃに丸めてごみ箱へ捨てた。しばらくのち、思い直してもう一度拾い上げ、皺を伸ばし、ハサミで記事を切り抜いた。それはもうほとんど紙屑と見分けがつかないくらい、皺だらけになっていた。

「だから、何なんだ」

と、私は自分に問い掛けた。

「何でもないじゃないか」

私は自分に言い聞かせた。

「ルートの父親が賞をもらった。喜ばしいことだ。ただそれだけのことだ」

そして記事を折り畳み、ルートの臍の緒の箱に仕舞った。

7

素数を見るたび、博士を思い出した。それはありふれた風景のどこにでも潜んでいた。スーパーの値札、表札の番地、バスの時刻表、ハムの賞味期限、ルートのテストの点数……そのどれもが、表向きの役割に忠実でありながら、裏に隠れた本来の意味を健気に守り支えていた。

もちろんすぐさま素数かどうか分かる訳ではない。博士に受けた訓練のおかげで、１００くらいまでの素数ならば、いちいち計算しなくても雰囲気で判断できたが、それ以上大きな数になると、怪しいと思われる数で割算してみなければならなかった。見るからに合成数のようなのに、実は素数だったという場合もあれば、第一印象で素数に間違いないと思ったのに、約数が見つかることもしばしばだった。

私も博士を見習い、エプロンのポケットに鉛筆とメモ用紙を入れておくようにした。そうすれば、思いついた時いつでも計算ができた。例えば税理士宅の台所で、冷蔵庫の掃除をしている時、扉の内側に刻印された製造番号２３１１が目に入った。これはなかなか、おもしろそうな数字ではないか？　という予感が走り、メモ用紙を取り出し、取り敢えず洗剤と布巾は脇に置いて割算を試してみた。まず最初に3、次に7、その次11。駄目だった。どれも1余った。引き続き13、17、19。やはり割り切れなかった。しかもその割り切れなさが実に巧妙だった。正体をつかんだと思わせた瞬間、するりとすり抜け、新たな展開を予感させながら、またしても微妙な徒労感を残す。それは常に、素数が使ってくる手だった。

私は２３１１を素数と認定し、メモ用紙をポケットに仕舞い、掃除を再開した。素数を製造番号に持っているというだけで、その冷蔵庫がいとおしく思えた。潔く、妥協せず、孤高を守り通している冷蔵庫。そんな感じだった。

事務所の床を磨いている時に出会ったのは、３４１だった。デスクの下に№３４１の青色申告決算書が落ちていた。

素数かもしれない。咄嗟に私はモップを動かす手を止めた。長くそこに落ちていたらしい書類で、埃をかぶっていたが、それでも№３４１が放つサインは生気を失っていなかった。いかにも博士の寵愛を受けるに相応しい魅力を備えていた。

既に従業員たちの姿はなく、明かりも半分消された事務所で、検証作業に取り掛かった。私はまだ、素数を見分ける自分なりの手順を確立しておらず、いつも勘だけが頼りの行き当たりばったりだった。一度、エラトステネスとかいう名前の、アレクサンドリアの図書館長が発明した方法を、博士に教えてもらったのだが、ややこしくて忘れてしまった。しかし、数に対する直感を大切にした博士だから、私のこの自由奔放なやり方も、きっと許してくれるだろう。

３４１は素数ではなかった。

「まあ、何ということ……」

私はもう一度、341÷11を計算した。

341÷11＝31

見事な割算の完成だった。

もちろん素数を見つけた時は気分がいい。ならば素数でなかった時、落胆するかと言えば、決してそうではない。素数の予想が外れた場合には、またそれなりの収穫がある。11と31を掛け合わせると、かくも紛らわしい偽素数が誕生するのかということは新鮮な発見であり、素数に最も似た偽素数を作り出す法則はないのだろうか、という思いがけない方向性を示してくれる。

私は決算書をデスクに置き、モップをバケツの濁った水で洗い、固く絞った。素数を見つけたからと言って、あるいは、素数でないことが判明したからと言って、何も変わらない。私の前には、やらなければならない仕事が、相変わらず山積みになっている。製造番号がいくらであろうと、冷蔵庫はただ自分の役目を果たすだけだし、№３４１の決算書を提出した人は、今も税金問題に頭を悩ませている。メリットがないばかりか、実害さえ生じている。冷凍庫のアイスクリームは溶け、床磨きははかどらず、税理士さんのイライラを募らせる。それでも尚、２３１１が素数で、３４１が合成数であるという真実は、色褪せない。

「実生活の役に立たないからこそ、数学の秩序は美しいのだ」

と、博士が言っていたのを思い出す。

「素数の性質が明らかになったとしても、生活が便利になる訳でも、お金が儲かる訳でもない。もちろんいくら世界に背を向けようと、結果的に数学の発見が現実に応用される場合はいくらでもあるだろう。楕円の研究は惑星の軌道となり、非ユークリッド幾何学はアインシュタインによって宇宙の形を提示した。素数でさえ、暗号の基本となって戦争の片棒を担いでいる。醜いことだ。しかしそれは数学の目的ではない。真実を見出だすことのみが目的なのだ」

博士は真実、という言葉を素数と同じくらい重要視した。

「さあここに、直線を一本引いてごらん」

いつだったか、夕方の食卓で博士が私に言った。広告に（私たちのノートはいつも新聞広告の裏だった）、菜箸を定規代わりに、鉛筆で私は直線を書いた。

「そうだ。それは直線だ。君は直線の定義を正しく理解している。しかし考えてみてごらん。君が書いた直線には始まりと終わりがあるね。だとすれば、二つの点を最短距離で結んだ、線分なのだ。本来の直線の定義には端がない。無限にどこまでものびてゆかなければならない。しかし一枚の紙には限りがあるし、君の体力にだって限界があるから、とりあえずの線分を、本物と了解し合っているに過ぎないんだ。更に、どんなに鋭利なナイフで入念に尖らせたとしても、鉛筆の芯には太さがある。よってここにある直線には幅が生じている。面積がある。つまり、現実の紙に、本物の直線を描くことは不可能なのだ」

私は鉛筆の先をしみじみと眺めた。

「真実の直線はどこにあるか。それはここにしかない」

博士は自分の胸に手を当てた。虚数について教えてくれた時と同じだった。

「物質にも自然現象にも感情にも左右されない、永遠の真実は、目には見えないのだ。数学はその姿を解明し、表現することができる。なにものもそれを邪魔できない」

空腹を抱え、事務所の床を磨きながら、ルートの心配ばかりしている私には、博士が言うところの、永遠に正しい真実の存在が必要だった。目に見えない世界が、目に見える世界を支えているという実感が必要だった。厳かに暗闇を貫く、幅も面積もない、無限にのびてゆく一本の真実の直線。その直線こそが、私に微かな安らぎをもたらした。

「君の利口な瞳を見開きなさい」

博士の言葉を思い出しながら、私は暗闇に目を凝らす。

「今すぐ、例の数学の先生のお宅に行って。息子さんが厄介事を起こしたらしいの。詳しくは分からないから、とにかく急行して。組合長からの命令よ」

あけぼのの事務員さんから税理士宅へ電話が掛かってきたのは、買物から戻り、そろそろ夕食の支度に取り掛かろうか、という頃だった。えっ、うちの子が何か……と尋ねる暇もなく電話は切れた。

私の頭に一番に浮かんだのは、ファールボールの呪いだった。あの連鎖がまだ終わりを迎えておらず、それどころか、一度は難を逃れたかに思われたファールボールが再び舞い戻り、ルートの頭上に落下したのではあるまいか。やはり博士の忠告は正しかった。

『子供を一人にしてはいけない』

もしかしたら、おやつのドーナッツを喉に詰めて窒息しかかっているのかもしれない。あるいはラジオのコンセントがショートして、感電したのではないか。あれこれ取り留めのない考えが巡った。怖くて身体が震え、奥さんにもうまく事情が説明できず、税理士さんから嫌味を浴びせられる中、とにかく博士の元へ急いだ。

わずか一か月ほどの間に、離れの様子はよそよそしいものに変わっていた。壊れた呼び鈴も、殺風景な家具も、荒れ放題の庭も以前のままだったが、一歩足を踏み入れた途端、居心地の悪さを感じた。しかしその原因がルートにあるのではないことがすぐに判明したので、ひとまずほっとした。彼は窒息も感電もしておらず、博士と並んで食卓に座っていた。足元にランドセルが置いてあった。

居心地が悪いのは、彼らの向かいに、母屋の未亡人の姿があるからだった。彼女の脇には、見知らぬ中年女性が控えていた。私の後に派遣された家政婦さんだろう。記憶の中では、博士とルートと私三人だけしか居ないはずの場所に、目新しい人物が割り込んでいたせいで、何とも言えず空気がぎくしゃくしていた。

ほっとした途端、どうしてルートがここにいるのか、不思議でたまらなくなってきた。未亡人は食卓の真ん中に腰掛けていた。面接の時と同じく、上品な装いだった。やはり左手には杖が握られていた。

ルートは私と目を合わせようとせず、神妙にしていた。博士はその隣で、考える態勢に入っていた。誰の視線とも交差しない方向に、ただひたすら意識を集中させていた。

「お忙しいところ、お呼び立てして申し訳ありません。さあ、こちらへどうぞ」

未亡人は私に椅子を勧めた。駅から走ってきたせいで、私はまだ息が弾み、きちんと声が出なかった。

「どうぞ、ご遠慮なさらずに、お座りになって。あなた、お客さまにお茶を」

あけぼのの人かどうか分からないが、家政婦さんが台所に立った。どんなに言葉遣いが丁寧でも、落ち着きなく唇をなめ、爪でテーブルを引っかく仕草から、未亡人の動揺が読み取れた。私はどう挨拶していいものか見当がつかないまま、言われる通り、腰を下ろした。

しばらく、沈黙が続いた。

「あなた方は……」

一段ときつく爪をこすりつけながら、未亡人が切り出した。

「どういうお考えをお持ちなのでしょう」

息を整えてから、私は言った。

「あのう、うちの子が、何かいけないことをしましたでしょうか」

ルートはうつむき、膝の上で、タイガースの帽子を潰したり広げたりしていた。

「反対に私から質問させて下さい。どうして辞めた家政婦さんの子供が、義弟のところへやって来る必要があるのでしょうか？」

せっかくのマニキュアが剝げて粉になり、食卓の上に散らばっていた。

「僕、別に悪いことはしてないよ」

うつむいたまま、ルートが言った。

「とうの昔に辞めた家政婦さんの、その子供がです」

ルートの言葉を遮って、未亡人は言った。子供、子供と繰り返しながら、彼女はルートを見ようとしなかった。博士の方にも目をやらなかった。二人など最初からそこに居ないかのように振る舞った。

「いや、別に、必要というほどの問題では……」

状況のすべてが飲み込めないままに、私は答えた。

「ただちょっと、遊びに来ただけの話だと思うんですけど」

「図書室で借りた『ルー・ゲーリック物語』を、一緒に読もうと思ったんだ」

ようやくルートが顔を上げた。

「六十過ぎの男と十歳の子供が、何をして遊ぶと言うのですか」

またしてもルートの発言は無視された。

「私に無断で、お宅さまのご都合も考えず、息子がお邪魔したことは、申し訳なく思います。監督不行き届きでした。どうもすみません」

「いいえ。そんな問題をとやかく言っているのではありません。馘になったにもかかわらず、子供を義弟の元に送り込むのは、何か意図がおありになってのことなのかどうか、という問題なのです」

カリカリと鳴る爪の音が、次第に耳障りになってきた。

「意図？　ちょっと誤解なさっていらっしゃるようですね。たかだか十歳の子供ですよ。遊びたいから遊びに来た。面白い本を見つけたから、博士にも読ませてあげようと思った。それで十分じゃありませんか」

「ええ、そうでしょう。子供には邪心はないでしょう。ですから私は、あなたご自身のお考えをお尋ねしているのです」

「私は息子が楽しい気分でいてくれること以外に、望みなどありません」

「では何故義弟を巻き込むのですか。義弟と三人で夜出掛けたり、泊まり込んで看病したり。私はあなたにそういった仕事を要求した覚えはありません」

家政婦さんがお茶を運んできた。業務に忠実な家政婦さんだった。一言も口を挟まず、コトリとも音を立てず、人数分のお茶を並べていった。彼女が私の味方になってくれそうもないのは、明らかだった。いかにも、面倒な事に関わり合いになるのは御免だというふうに、さっさと台所へ戻って行った。

「職務を逸脱したことは認めます。しかし、意図や企みがあってのことじゃないんです。もっと単純なんです」

「お金ですか？」

「お金？」

あまりの意外な言葉に、私の声は裏返ってしまった。

「聞き捨てなりません。しかも子供の前で。撤回して下さい」

「それ以外に考えられないじゃありませんか。義弟のご機嫌を取って、うまく丸め込もうとしているんです」

「馬鹿な……」

「あなたは馘になったはずです。私どもとは、縁が切れたはずです」

「いい加減にして下さい」

「あの……」

再び家政婦さんが姿を現わした。エプロンを外し、バッグを提げていた。

「時間が来ましたので、失礼させていただきます」

お茶を出す時と同じように、足音さえ立てず、出ていった。私たちは彼女の後ろ姿を見送った。

博士の考える濃度はますます深まり、ルートの帽子は皺だらけになっていた。私は一つ長い息を吐き出した。

「友だちだからじゃありませんか」

私は言った。

「友だちの家に、遊びに来てはいけないんですか」

「誰と誰が友だちと言うのですか？」

「私と息子と、博士がです」

未亡人は首を横に振った。

「あなたは見込み違いをなさっておいでかもしれません。義弟には財産などありません。親から受け継いだものは全部、数学に注ぎ込んで、注ぎ込んだきり一円だって戻ってこなかったんで」

「私には無関係の話です」

「義弟に友人などおりません。一度だって友人が訪ねてきた例しなどないんです」

「ならば、私とルートが最初の友だちです」

不意に博士が立ち上がった。

「いかん。子供をいじめてはいかん」

そうしてポケットから取り出したメモ用紙に、何やら書き付けたかと思うと、それを食卓の真ん中に置き、部屋から出て行った。あらかじめ、そうすべきことが決まっていたかのような、毅然とした態度だった。そこには怒りも混乱もなく、ただ静寂だけが彼を包んでいた。

取り残された三人は黙ってメモ用紙を見つめた。いつまでもそのままじっとして動かなかった。

そこにはたった一行、数式が書かれていた。

《$\mathbf{e^{\pi i}+1=0}$》

もう誰も余計な口をきかなかった。未亡人は爪を鳴らすのをやめていた。彼女の瞳から少しずつ動揺や冷淡さや疑いが消えてゆくのが分かった。数式の美しさを正しく理解している人の目だと思った。

ほどなく組合から、博士宅の仕事にカムバックするよう通達があった。意見交換の結果、未亡人の意向に変化が現われたのか、ただ単に、新しい家政婦さんが馴染めず、組合のやり繰りがつかなくなっただけなのか、理由は定かではない。いずれにしても、博士は十一個めのブルースターを獲得したことになる。私に掛けられた理不尽な誤解が解けたかどうかについては、確かめようがなかった。

何度思い返しても、彼女の抗議は不可思議だった。組合に告げ口するような形で私を解雇したり、ルートの来訪に大げさな反応を示したりする姿は、奇妙でさえあった。

野球観戦の夜、中庭から離れを覗いていたのはやはり彼女だったのだろう。不自由な足を引きずり、茂みに身を隠し、杖を握り締めている姿を想像すると、あらぬ疑いを掛けられたのも忘れ、哀れな気分になった。

もしかすると、お金の問題はカモフラージュに過ぎず、未亡人は私に嫉妬しているのかもしれない、という疑問が浮かぶこともあった。彼女は彼女なりのやり方で博士に愛情を注いでおり、だからこそ私が目障りだったのではないか、そして母屋との行き来を禁じたのは、義弟との関わりを避けるためではなく、彼とのつながりを私に邪魔されることなく、秘密のうちに守るためではないのか、と。

再スタートの初日は、七月七日、七夕だった。玄関に博士が姿を現わした時、ひらひら揺れるメモだらけの背広が、短冊飾りのように見えた。その中で、袖口にはまだ私とルートのメモが留まっていた。

「出生時の体重はいくらかね」

玄関での数字問答も相変わらずだったが、生まれた時の体重というのは、新手の質問だった。

「3217グラムです」

自分のは忘れてしまったので、ルートのを答えた。

「2の3217乗マイナス1は、メルセンヌ素数となる」

ぶつぶつつぶやきながら、博士は書斎へ入って行った。

この一か月の間、タイガースはよく踏張って、首位争いに食らい付いていた。湯舟のノーヒットノーラン以降も、ピッチャーが打線を引っ張っていた。ところが六月の末頃から調子が狂いはじめ、前日までに六連敗し、じわじわ上昇してきた巨人にさえ抜かれ、三位に転落していた。

ピンチヒッターをつとめた家政婦さんは几帳面な人だったらしく、博士の勉強の邪魔になるのを怖れて私がほとんど手をつけないでおいた書斎の数学書を、すべて本棚に納め、納めきれない分は洋服ダンスの上やソファーの下のわずかな隙間に並べていた。しかも分類の基準はただ一つ、サイズのみで、見た目にすっきりしたのは間違いないが、長年に亘り培われてきた混沌の中の隠れた秩序は、すっかり破壊されていた。

ふと私は心配になり、野球カードが入ったクッキーの缶を探した。それは元あった棚からそう離れていない場所で、本のサイズを揃えるための、調節台に使われていた。中身の江夏も無事だった。

しかし、タイガースの順位が変動しようが、書斎が綺麗になろうが、博士の生活に変化はなかった。もっとも、二日もしないうちに前家政婦さんの努力は水の泡となり、書斎は元の懐かしい風景に戻ったのだった。

あの日博士が食卓の真ん中に置いたメモ用紙を、私は大事に取っておいた。手をのばす私を、未亡人が黙認してくれたのは幸いだった。丁寧に折り畳み、ルートの写真が入っている定期入れの中に仕舞った。

そこに書き記された数式の意味を知るため、私は町の図書館へ行った。博士に聞けばすぐ教えてくれるだろうに、そうしなかったのは、一人でじっくり向き合った方が、意味するところをより深く理解できるのではないか、という予感がしたからだった。全くの予感だけで、根拠はなかった。博士との短い付き合いの中で、知らず知らずのうち、私は数字や記号に対し、音楽や物語に対するのと同じような想像力を働かせるようになっていた。そのごく短い数式には、見捨てておけない重量感があった。

図書館へ足を踏み入れるのは、去年の夏休み、ルートの自由研究のために、恐竜の本を借りに来て以来だった。数学のコーナーは二階の東の端、一番奥まった所にあった。私以外人影はなく、静まり返っていた。

書斎の本はどれも、手垢がついたり、ページが折れたり、食べかすが挟まっていたり、何かしら博士の手に触れた形跡が残っていたが、図書館の本は整然としすぎていて、ますます近寄りがたかった。この中には、誰の手によって開かれることもなく生涯を終える数学書が、何冊もあるに違いないという気がした。

私は定期入れの中からメモ用紙を取り出した。

《$e^{\pi i}+1=0$》

博士のいつもの筆跡だった。全体的に丸みを帯び、所々鉛筆がかすれていながら、雑な雰囲気はなく、むしろ記号の形や0の合わせ目には丁寧さが感じられる。用紙の面積に比べ、数式は小さめで、真ん中よりやや上に、慎ましやかに記されている。

改めてよく眺めてみれば、変わった式だった。例えば、長方形の面積は縦×横だとか、直角三角形の斜辺の二乗は、他の二辺の二乗の和に等しい、などといった私が知っている数少ない公式に比べ、奇妙にアンバランスだった。出てくる数字は1と0だけ、計算も足算が一個だけで、簡潔極まりないのに、先頭の記号がどうにも頭でっかちなのだ。その頭でっかちを、最終的に、一個の0が支えている。

しかし、調べると言っても、何を手掛りにしていいのか見当もつかなかった。仕方なく、適当に手近な何冊かを取り出し、パラパラとめくってみた。

どれもこれも、ただひたすらに数学だった。これが自分と同じ人間の共有物だとは、とても信じられなかった。ここにある一ページ一ページが、宇宙の秘密を解く設計図なのだろうか。神様の手帳を、書き写したものなのだろうか。

私のイメージの中では、宇宙の創造主は、どこか遠い空の果てでレース編みをしている。どんなか弱い光でも通す、上等の糸で編まれるレースだ。図案は主の頭の中だけにあり、誰もパターンを横取りできないし、次に現われる模様を予測もできない。編み棒は休みなく動き続ける。レースはどこまでものびてゆき、波打ち、風にそよぐ。思わず手に取り、光にかざしてみなくてはいられない。うっとり潤んだ瞳で、頬ずりさえしてしまう。そしてそこに編み込まれた模様を、どうにかして自分たちの言葉で編み直せないかと願う。ほんの小さな切れ端でもいい、自分だけのものにして、地上へ持ち帰るために。

ふと目についたのは、フェルマーの最終定理について書かれた本だった。数学書というより、歴史読み物風の内容だったので、私にもある程度理解できた。フェルマーの最終定理が未解決の難問であるのは知っていたが、定理の内容がかくも簡潔に表現できるとは驚きだった。

『3以上の自然数nに対して

《$X^n + Y^n = Z^n$》

を満たすような自然数X、Y、Zはない』

えっ、たったそれだけの事？　と思わず口走ってしまいそうだった。式を満たす自然数など、いくらでも見つかりそうな気がした。nが2ならば、見事なピュタゴラスの定理となるのに、nが一つ大きくなっただけで、もう秩序が壊れてしまうのだろうか。ざっと立ち読みしたところによると、この命題は立派な論文からではなく、フェルマーの走り書きによって生まれ、彼自身、余白がないという理由で証明を残さなかったらしい。以降、数学の世界における完璧なゴールであるところの証明に向かい、多くの天才たちが挑戦を繰り返したが、ことごとく跳ね返されてしまった。一人の男の、ちょっとした気紛れが、三世紀にもわたって数学者たちを悩ませてきたのかと思うと、気の毒でもあった。

私は神様の手帳の重厚さ、創造主のレース編みの精巧さを思った。どんなに懸命に一目一目たどっていても、ほんの一瞬油断しただけで、次に進むべき手掛りを見失ってしまう。ゴールだと歓喜した途端、更に複雑な模様が出現する。

博士だっていくつかの、レースの切れ端を手にしたに違いない。そこにはどんな美しい模様が透けて見えるのだろう。博士の記憶に今もそれが刻み込まれていますようにと、私は祈った。

フェルマーの最終定理が、単なる数学マニアの好奇心を満たすパズルではなく、数論の根幹といかに深く関わっているかを説明した、第三章の中程に、博士が書いたのと同じ数式を見つけた。当てもなくページをめくっていた視界の隅に、一瞬映ったその一行を、私は見逃さなかった。メモ用紙と本を慎重に見比べた。間違いなかった。それはオイラーの公式、と呼ばれていた。

呼び名はすぐ分かっても、公式の意味を理解するのには困難が伴った。私は書架の間に立ったまま、公式に関わりのあるページを何回も読み直した。特に難しい部分は、博士に教えられた通り、声に出して読んでみた。相変わらず数学のコーナーには私一人きりだったので、誰にも迷惑を掛けずにすんだ。数学書の隙間に吸い込まれてゆく自分の声に、私は耳を澄ませた。

πは分かる。円周率だ。iも博士に教えてもらった。-1の平方根で、虚数。厄介なのはeだった。eもπと同じ循環しない無理数で、数学で最も重要な定数の一つであるらしい。

まず、対数とは何か、からはじめなければならない。対数とは、定数を何乗すれば任意の数になるかという、指数の値である。ちなみに、定数の方は〝底〟と呼ばれる。例えば、底が10ならば、100の対数（$\log_{10}100$）は、$100=10^2$だから、2となる。

普段使っている十進法では、10を底にする対数を用いるのが便利で、これは常用対数と名付けられているが、数学の理論においては、eを底とする対数もまた、計り知れない役目を負っているらしい。こちらは自然対数と呼ばれている。eを何乗すれば与えられた数が得られるか、というその指数を考えるのである。つまりeは〝自然対数の底〟ということになる。

そして肝腎のeだが、オイラーが算出したところによれば、

e＝2.71828182845904523536028……

と、どこまでも果てしなく続いてゆく。計算式は、この話の複雑さから比べれば、非常に明快だ。

$$e=1+\frac{1}{1}+\frac{1}{1\times2}+\frac{1}{1\times2\times3}+\frac{1}{1\times2\times3\times4}+\frac{1}{1\times2\times3\times4\times5}+\cdots\cdots$$

ただ、明快なだけに余計、eの謎が深まってゆくようにも思える。

だいたい、自然対数と名付けておきながら、一体どのあたりが自然だと言えるのだろう。記号に置き換えなければ書き表わせない、どんな巨大な紙からもはみ出してしまう、最後尾を見届けられないような数字を底にするとは、不自然極まりないではないか。

蟻がわがまま放題に行列を作っているような、赤ん坊が不恰好に積み木を重ねたような、偶然で無秩序で取り留めのない数字の羅列が、実は筋道の通った意志を持っているのだから、手に負

えない。神様の計らいは底知れない。しかもその計らいをきちんと察知できた人間がいるのである。彼らが払った労苦に対し、私を含めたその他大勢の人間は、正当な感謝を示してはいないのだけれど。

私は本の重みで痺れてきた手を休め、ページをめくり直し、十八世紀最大の数学者だというレオンハルト・オイラーについて思いを馳せた。彼について私は何も知らないが、この公式一つを手にしただけで、彼の体温に触れたような気がする。オイラーは不自然極まりない概念を用い、一つの公式を編み出した。無関係にしか見えない数の間に、自然な結び付きを発見した。

πとiを掛け合わせた数でeを累乗し、1を足すと0になる。

私はもう一度博士のメモを見直した。果ての果てまで循環する数と、決して正体を見せない虚ろな数が、簡潔な軌跡を描き、一点に着地する。どこにも円は登場しないのに、予期せぬ宙からπがeの元に舞い下り、恥ずかしがり屋のiと握手をする。彼らは身を寄せ合い、じっと息をひそめているのだが、一人の人間が1つだけ足算をした途端、何の前触れもなく世界が転換する。すべてが0に抱き留められる。

オイラーの公式は暗闇に光る一筋の流星だった。暗黒の洞窟に刻まれた詩の一行だった。そこに込められた美しさに打たれながら、私はメモ用紙を定期入れに仕舞った。

図書館の階段を降りる時、ふと振り返ってみたが、相変わらず数学のコーナーに人影はなく、そんなにも美しいものたちが隠れていることなど誰にも知られないままに、しんとしていた。

次の日も図書館へ行った。もう一つだけ、前からずっと心に引っ掛かっていることを調べるためだった。私は一九七五年の地方新聞の縮刷版を取り出し、分厚い冊子のページを、根気よく一ページ一ページめくっていった。一九七五年九月二十四日付け地域版に、目指す記事は載っていた。

二十三日午後4時10分ごろ、◯◯町3丁目の国道2号線で、△△運輸の軽トラック＝××運転手（28）がセンターラインをオーバーして対向車線にはみ出し、◯◯大学数学研究所教授△△さん（47）運転の乗用車と正面衝突。△△さんは頭を強く打ち重体。助手席に乗っていた義姉××さん（55）は左足骨折の重傷。トラックの運転手も額などに軽いけがをした。警察では居眠り運転が原因とみてトラックの運転手から事情を聴き……

私は冊子を閉じた。未亡人が突く、杖の音を思い出していた。

以降ずっと、ルートの写真が色褪せてからも尚、私は博士のメモを捨てずに持ち続けている。オイラーの公式は私にとって、支柱であり警句であり宝物であり、形見だった。

何故あの時、博士がこの公式を書き付けたのか、繰り返し考える。怒声を上げるでもなく、机を叩いて脅すでもなく、ただ一つの式を書き残すだけで、博士は未亡人と私の言い争いを収めてしまった。結果的には、私を家政婦に復帰させ、ルートとの交流を復活させた。はじめからそうなると計算していたのだろうか。あるいは混乱のあまり、深い意味もなく、思いつくままの行動に出ただけなのだろうか。

ただ一つ間違いないのは、彼の一番の心配はルートであった、ということだ。自分のせいで母親たちが争っているとルートが思い込んでしまわないか、怖れていた。だからこそ彼独自の、自分にできる唯一の方法で、ルートを救い出した。

今振り返っても、博士が幼い者に向けた愛情の純粋さには、言葉を失う。それはオイラーの公式が不変であるのと同じくらい、永遠の真実である。

博士はいつどんな場合にも、ルートを守ろうとした。どんなに自分が困難な立場にあろうと、ルートは常にずっと多くの助けを必要としているのであり、自分にはそれを与える義務があると考えていた。そして義務が果たせることを、最上の喜びとした。

博士の思いは必ずしも行動によってのみ表わされるとは限らず、目に見えない形で伝わってくることも多かった。しかしルートはそのすべてを漏らさず感じ取っていた。当然な顔で受け流したり、気付けないままにやり過ごしたりせず、自分が博士から与えられているのは、尊くありがたいものだと分かっていた。いつの間にかルートがそのような力を備えていたことに、私は驚く。

自分のおかずがルートよりも多いと、博士は顔を曇らせ、私に注意した。魚の切り身でもステーキでも西瓜でも、最上の部位は最年少の者へ、という信念を貫いた。懸賞問題の考察が佳境に入っている時でさえ、ルートのためにはいつでも無制限の時間が用意されていた。何であれ彼から質問されるのを喜んだ。子供は大人よりずっと難しい問題で悩んでいると信じていた。ただ単に正確な答えを示すだけでなく、質問した相手に誇りを与えることができた。ルートは導き出された答えを前に、その答えの見事さだけでなく、ああ、自分は何と立派な質問をしたのだろう、という思いに酔った。博士はまた、ルートの身体を観察する天才でもあった。逆睫毛を見つけたのも、耳の付根にできたおできを見つけたのも、私より早かった。じろじろ眺めたり触ったりしなくても、目の前に子供がいるだけで、注意を払うべき場所を一瞬にして察知した。しかも本人に不安を与えないよう、発見した異変は私だけにこっそり教えた。

台所で洗い物をしている私に、背後から耳打ちする博士の声の調子を、今でもよく覚えている。

「あのおできについては、やはり手当てが必要なのではないだろうか」

まるでこの世が終わるかのような口振りだった。

「子供は新陳代謝が激しいから、どんどん膨らんで、リンパ節を圧迫したり、気管をふさいだりするような事態になりかねない」

博士の心配性はルートの身体に関する場合、最大限に発揮された。

「じゃあ、針でつぶしましょう」

私がいい加減な受け答えをすると、本気で怒りだした。

「バイキンが入ったらどうする」

「ガスの火であぶって、殺菌すれば平気ですよ」

私がわざとじらすような言い方をしたのは、博士の心配がどんどん荒唐無稽になってゆくのが面白かったからだ。それにもう一つ、心配してもらえるのがうれしかったからだと思う。

「いかん。バイキンはどこにでもうようよしているのだ。バイキンが血管に入り込んで、脳に到達したら、取り返しがつかなくなるんだぞ」

はい、分かりました。すぐに病院へ連れて行きます、と言うまで博士は引き下がらなかった。

彼はルートを素数と同じように扱った。素数がすべての自然数を成り立たせる素になっているように、子供を自分たち大人にとって必要不可欠な原子と考えた。自分が今ここに存在できるのは、子供たちのおかげだと信じていた。

折りにふれ、私はメモを取り出して見つめる。眠れない夜に、一人きりの夕方に、懐かしい人たちを思い出して涙ぐむ時に。そこに書かれた一行の偉大さの前で頭を垂れる。

8

七夕の日もタイガースは大洋に0対1で敗れ、とうとう七連敗となってしまった。仕事の方は、一か月のブランクにもかかわらず、すぐにペースが戻った。脳の傷はもちろん不幸なのだが、わだかまりの記憶もすぐに消え去るのは救いだった。未亡人との間に生じたごたごたは、博士の中には跡形も残っていなかった。

私は夏用の背広にメモを付け替えた。付ける位置を間違えないよう気をつけた。破れかけたり字が薄くなっているメモは、新しく書き直した。

《机の引き出し下から二番目封筒の中》

《函数論第二版P315～P372及び双曲線函数解説第Ⅳ篇第1章§17》

《食器棚開き戸左手隅茶筒の薬毎食後》

《洗面台鏡の脇剃刀替え刃》

《√に蒸しケーキのお礼を言うこと！》

もう用済みだと思われるメモもあったが（ルートが家庭科の調理実習で作ったケーキを博士のために持ち帰ったのは先月だった）、勝手に捨てたりはしなかった。全部を平等に扱った。

メモを読んでいると、博士が見た目よりもずっと用心深く日常生活を送っているのが分かる。その用心深さを表に出したくないと思っているのも分かる。だから興味本位にじろじろ眺めたりせず、できるだけ手際よく作業を進めた。全部のメモを付け終えると、夏の背広はいつでも準備OKという感じで、しゃきっとして見えた。

博士はいつにない難問と取り組んでいた。『JOURNAL of MATHEMATICS』発刊以来、最高額の懸賞金がついた問題らしい。もっとも彼自身、お金については無頓着で、ただ純粋に問題の面白さにのみひかれているようだった。今までも雑誌社から送られてくる郵便為替は、封も切られないまま、玄関や電話台や食卓の上に置きっぱなしにされていた。郵便局で換金してきましょうかと尋ねても生返事をするばかりなので、仕方なく組合を通して未亡人に渡してもらっていた。

今度の問題がいかに手強いかは、博士の様子を見れば私にも察しがついた。考える状態の密度が、飽和点にまで達したかのようだった。一度書斎に入ると、どんな微かな気配も伝わってこず、あまりにも深く考えすぎて身体が溶けてしまったのではないかと、不安になるほどだった。かと思うと、突然、紙の上を滑る鉛筆の音が、静寂の中から伝わってくることもあった。鉛筆の芯の削られる気配は、私を安堵させた。それは博士がちゃんと生きていて、証明がわずかでも進んでいる証拠だったからだ。

毎朝目覚めたら、まず自分がどんな厄介な病気に冒されているかを理解するところからスタートしなければいけないのに、何故一つの問題を継続して考え続けられるのか、不思議に思ったこともある。しかし博士は、病を得る一九七五年以前から、数学の研究以外は何もしてこなかった。よって、ほとんど本能的に机の前に座り、今そこにある問題に集中してしまう。前日までに積み上げた考察の消滅を補うのが、何の変哲もない一冊の大学ノートと、紙切れに走り書きされた、身体中を覆う繭のようなメモだった。

そうした中、夕食の支度をしている最中、不意に博士が目の前に現われた。考える状態にある博士は、滅多に私と接触せず、視線さえ合わせないのが普通だった。しかも書斎の扉の軋みも、足音も聞こえなかったので余計驚いた。

私は声を掛けても怒られないのかどうか判断できず、しばらく黙ったままピーマンの種を取ったり、玉葱の皮をむいたりしながら、ちらちら相手の様子をうかがった。博士は台所と食堂を仕切るカウンターにもたれ、腕を組み、ただじっと私の手元を見つめていた。妙に緊張して仕事がやり辛かった。私は冷蔵庫から卵を取り出し、卵焼きを作る準備をはじめた。

「あの……何か、ご用でしょうか……」

我慢できずに私は口を開いた。

「続けて」

思いがけず博士の口調が優しかったのでほっとした。

「君が料理を作っている姿が好きなんだ」

博士は言った。

私はボウルに卵を割り入れ、菜箸でかき混ぜた。好きだ、という言葉が耳の奥でこだましていた。そのこだまを鎮めるように、できるだけ頭を空っぽにして卵に集中しようとした。調味料が溶けても、だまがなくなってもまだ、箸を動かし続けた。どうして博士がそんな事を言い出すのか、訳が分からなかった。数学の問題が難しすぎて頭がショートしたとしか思えなかった。とうとう手がだるくなって、私は箸を止めた。

「それから、何をするんだい?」

博士の声は静かだった。

「えっと……そうですねえ、次は……あっ、そうだ。豚のフィレ肉を焼きます」

博士の登場で手順がぎくしゃくしてしまった。

「卵は焼かないのかい?」

「ええ。少し置いておいた方が、味がなじむんです」

ルートは公園に遊びに出掛けて留守だった。西日が庭の木立を光と影に分けていた。風はなく、開け放した窓に掛かるカーテンは微かにそよぎもしなかった。博士は考えている時と同じ目を、私に向けていた。瞳の黒色が透き通って見えるほどに濃くなり、息を吐くたび睫毛の一本一本が震え、近くに焦点があるのにはるか遠くを見通しているかのような目だった。私はフィレ肉に粉をまぶし、フライパンに並べていった。

「何故そうやって、肉の位置をずらす必要があるのだろうか」

「フライパンの真ん中と端の方では、焼け具合が違いますからね。均一に焼くために、こうやって時々、場所を入れ替えるんです」

「なるほど。一番いい場所を独り占めしないよう、皆で譲り合う訳か」

今取り組んでいる数学の複雑さに比べれば、肉の焼き方など取るに足らない問題だと思うのだが、彼はいかにもユニークな発見をしたかのようにうなずいた。私たちの間をいい匂いが漂った。

引き続きピーマンと玉葱をスライスしてサラダにし、オリーブオイルでドレッシングを作り、卵を焼いた。すりおろした人参をこっそりドレッシングに混ぜようと思っていたのに、監視されているせいでできなかった。彼はもう喋らなかった。レモンを花形に切っただけで息を飲み、お酢と油が混ざり合って乳白色に変色すると身を乗り出し、湯気の上がる卵焼きをカウンターに並べると、ため息を漏らした。

「あの……」

　また私は質問をしてしまった。

「どこが面白いんでしょう。ただの、料理ですよ」

「君が料理を作っている姿が好きなんだ」

　博士はさっきと同じ答えを返した。それから腕組みを解き、一度窓の外に視線を移し、一番星の位置を確かめた後、書斎へ戻って行った。姿を現わした時同様、気配さえ残さなかった。背中に西日が当たっていた。

　私は出来上がった料理と、自分の手を交互に見比べた。レモンで飾り付けた豚肉のソテーと、生野菜のサラダ、黄色くて柔らかい卵焼き。それらを一つ一つ眺めた。どれもありふれているが、美味しそうだった。今日一日の終わりに、幸福を与えてくれる料理たちだった。私はもう一度自分の掌に視線を落とした。まるで自分が、フェルマーの最終定理を証明したにも匹敵する偉業を成し遂げたかのような、ばかばかしい満足に浸っていた。


　梅雨が明け、小学校は夏休みに入り、バルセロナでオリンピックが開幕してもまだ、博士の闘いは続いていた。完成した証明をいつ『JOURNAL of MATHEMATICS』へ郵送するよう頼まれるか、楽しみに待っているのに、なかなかその日は訪れなかった。

毎日暑い日が続いた。離れはクーラーもなく、風通しもよくなかったが、私たちは不平を言わず我慢した。だが博士の我慢強さには誰もかなわなかった。たとえ最高気温が三十五度を越える日の昼間でも、書斎の扉はきちんと閉め、仕事机の前に座り続け、一日中、背広を脱ごうとしなかった。一旦脱いでしまったら、今まで積み上げた証明が全部崩れてしまうかもしれないと、怖れているかのようだった。ノートは汗に濡れて変形し、身体の節々にはあせもができて痛々しかった。私は扇風機を持ち込んだり、行水を提案したり、もっと麦茶を飲むよう勧めたりしてはうるさがられ、結局は書斎から追い出された。

学校が休みに入ると、ルートは朝私と一緒に離れへやって来るようになった。例のいざこざの件もあり、あまり長い時間ルートを出入りさせるのはよくないと思ったのだが、博士が譲らなかった。数学以外の常識は持ち合わせていないはずなのに、何故か小学生に長い夏休みがあるのはよく承知していて、いつでも子供は母親の目の届く場所にいるべきだ、という従来からの主張を曲げなかったのだ。しかしルートは公園で友だちと野球ばかりして宿題もせず、午後は学校のプールへ泳ぎに行き、ほとんどじっとしていなかった。

証明が完成したのは七月三十一日の金曜日だった。博士はことさらに興奮するでも、疲れをあらわにするでもなく、淡々と原稿を託した。私は次の日が土曜日でもあり、どうしても今日の便に間に合わせようと、大急ぎで郵便局まで走った。速達の判が押され、間違いなく封筒が受領されたのを見届けると、途端にうれしくなり、帰りにあれこれ寄り道をした。博士の替えの下着を買い、いい匂いのする石鹸を買い、アイスクリームとゼリーと水羊羹を買った。

帰ってみると、博士が元に戻っていた。私を知らない博士になっていた。私は腕時計を見た。出掛けてから過ぎた時間は一時間と十分だった。

博士の八十分が狂ったことはかつて一度もなかった。彼の脳がカウントする八十分は、時計より厳密であり、冷酷であった。

私は腕時計を振り、ちゃんと動いているかどうか耳を押し当てた。

「君の、出生時の体重はいくらかね」

と、博士が言った。


八月に入って間もなく、ルートが四泊五日のキャンプに出掛けた。十歳から参加できるこのキャンプを、ルートは前々から楽しみにしていた。生まれて初めて親元を離れるのに、淋しそうな顔を見せなかった。集合場所のバス乗り場では何組もの親子が別れを惜しみ、最後まで細々とした注意事項を伝えようとする母親たちの熱気であふれていた。私も例外ではなく、肌寒い時にはジャンパーをはおるようにとか、保険証をなくすなとか、いろいろ言いたいことはあったのだが、ルートは聞く耳を持たず、バスが到着すると一番に飛び乗った。最後は半分儀礼的に、窓からバイバイの合図を送ってきただけだった。

ルートが行ってしまった最初の晩、一人きりのアパートに帰るのが億劫で、夕食の後片付けが終わったあとも、しばらくぐずぐずしていた。

「果物でもお切りしましょうか」

私が声を掛けると、博士は安楽椅子に横たわったまま振り返った。

「すまないね」

日が暮れてしまうには間があるはずだったが、いつの間にか雲が厚みを増し、中庭は夕闇と西日が入り混じって、薄紫色のセロファンに包まれたようだった。少しだけ風も出てきた。私はメロンを切って博士に手渡し、安楽椅子の傍らに腰を下ろした。

「君も食べなさい」

「ありがとうございます。どうぞお気遣いなく」

博士はフォークの背で果肉をつぶし、ぺちゃぺちゃ汁を飛び散らせながら食べた。

ルートがいないと、誰もラジオのスイッチを入れる人はなく、静かだった。母屋からはどんな物音も伝わってこなかった。蟬が一声鳴いたかと思うと、またすぐに静まった。

「少しでも食べたらどうだい」

博士は最後の一切れをこちらに差し出そうとした。

「いいえ、いいんです。どうぞ、召し上がって下さい」

私は博士の濡れた口元を、ハンカチで拭いた。

「今日も暑かったですね」

「全くだ」

「お風呂場に置いてあるあせものお薬、ちゃんと塗って下さい」

「たぶん、忘れなければ……」

「明日はもっと暑くなるそうです」

「暑い、暑いと言っているうちに、夏は過ぎてゆくものだ」

不意に木立がざわめき、見る見るあたりが暗くなった。さっきまで遠くの稜線にわずかに残っていた夕焼けが、暗がりに飲み込まれていた。どこかで雷鳴が響いた。

「あっ、雷」

私と博士は同時に声を上げた。

と、たちまち雨が降りだした。一粒一粒、形が目で確かめられるほどに大粒の雨だった。屋根を叩く音が部屋中に響いた。窓を閉めようとした私に、博士が言った。

「まあ、いいじゃないか。開けたままにしておく方が気分がいい」

カーテンがなびくたび雨が吹き込み、二人の素足にかかった。彼が言うとおり、ひんやりとして気持ちよかった。もうどこにも太陽の気配さえなく、消し忘れた流し台の明かりだけがぼんやり中庭を照らしていた。木々の間に隠れていたらしい小鳥たちは飛び去り、絡み合った枝はうな垂れ、やがて目に映るすべてのものが雨に覆われていった。土の溶けてゆく匂いがした。雷鳴は少しずつ近付いてきた。

私はルートのことを考えた。雨合羽の入れてある場所が分かっただろうか。運動靴の替えも持たせるべきだった。調子に乗って食べすぎてはいないだろうか。濡れた髪のまま眠って、風邪を引かなければいいが。

「山の方も、やはり雨でしょうか」

私は言った。

「ふむ、山はもう暗くて見えない」

博士は目を細めた。

「そろそろ老眼鏡を作り直す必要があるかもしれん」

「あの雷、山に落ちているんじゃないでしょうか」

「何故山の心配ばかりする必要がある？」

「息子がキャンプをしているんです」

「息子？」

「ええ。十歳です。野球の好きな、やんちゃな男の子です。あなたにルートというあだ名を付けてもらいました。頭のてっぺんが、平らなんです」

私はこれまでにも何度となく繰り返してきた説明をした。博士に何度同じ質問をされようと、何度同じ答えをしなければならない羽目に陥ろうと、決してうんざりした態度を見せないのが、ルートと交わした約束だった。

「ああ、そうか。君には子供がいるのか。それはいい」

ルートの話題が出た途端、博士の表情が生き生きしてくるのもまた、いつも繰り返されることだった。

「子供が夏にキャンプをする。すばらしいじゃないか。健康と平和の象徴だ」

博士はクッションにもたれ掛かり、伸びをした。博士の息にはまだメロンの匂いが残っていた。

稲光が走り、前より明らかに大きな雷が鳴った。その光だけは、雨にも暗闇にも邪魔されることなく空を貫いた。消えたあともじっと見惚れてしまうような稲光だった。

「今の、間違いなく落ちましたよね」

私は言った。博士は「ううん」と唸っただけで、答えなかった。床にも雨が飛び散っていた。

私は彼のズボンが濡れないよう、裾を折り曲げた。博士はくすぐったそうに足をもぞもぞさせた。

「やっぱり雷は高い所に落ちるんですから、平地より山の方が危険ですよね」

数学は理科学系なのだから、雷の知識も私よりは多いはずだと思ったのだが、読みは外れたようだった。

「今日の一番星は輪郭がぼやけていた。そういう日はたいてい天気が崩れるのだ」

博士の答えは数学的厳密さとはかけ離れたものだった。

そうしている間にも雨足は強くなり、止め様もなく次々稲光が発生し、雷鳴が窓ガラスを震わせた。

「ルートが心配です」

「子供の心配をするのが、親に課せられた一番の試練だと、誰かの本に書いてあった」

「荷物が全部びしょ濡れになって、困り果てているかもしれません。キャンプはまだあと四日もあるのに」

「どうせにわか雨なんだ。明日、朝日が射して暑くなれば、何だってすぐに乾くさ」

「もし、ルートに雷が落ちていたらどうしましょう」

「確率はたいそう低いと思われるが」

「タイガースの帽子を、稲妻が直撃していたら……だってあんなに特別な頭をしているんですよ。博士だってご存じでしょう。ルート記号にそっくりなんです。誰にも真似できない、彼にだけ授かった頭なんです。雷に魅入られたって、不思議じゃありませんせん」

「いや、とんがった頭の方がよっぽど危ないはずだ。避雷針に間違われる可能性がある」

ルートに関し、あれほど心配性の博士が、今回は私の慰め役に回っていた。一筋強い風が吹き、木立がうねった。嵐がひどくなればなるほど、離れには静けさが満ちていった。母屋の二階の一室に電気がともった。

「ルートがいないと、心の中が空っぽになったような気分です」

私は言った。

「空っぽとは、つまり0を意味するのだろうか」

尋ねるともなく博士はつぶやいた。

「つまり今君の中には0が存在する、ということになる」

「ええ、そうなんでしょうね、たぶん」

私は頼りなくうなずいた。

「0を発見した人間は、偉大だと思わないかね」

「0は昔っから、あるんじゃないんですか」

「昔とは、いつだ？」

「さあ、たぶん、人間が誕生した頃から、そこかしこに、いくらでもあったでしょう。0なんて」

「では君は、花や星のように、0は人間が生まれた時にもう既に目の前にあったと思っているのかい？　何の苦もなくその美しさを手に入れることができたのだと？　ああ、何という誤解だ。君は人類の進歩の偉大さに、もっと感謝すべきだ。いくら感謝してもし過ぎることはない。罰は当たらんよ」

博士は安楽椅子から上半身を起こし、髪の毛をかきむしった。心底嘆かわしくてならない様子だった。メロンの皿にふけが落ちそうになったので、私は急いでそれを椅子の下に滑り込ませた。

「で、誰なんですか？　発見した方は」

「名もないインドの数学者だよ。異教徒の暴挙により、共同浴場の炉にくべられたギリシャの数学を救い出し、失われた定理を復活させ、更に新しい真理を生み出したのだ。古代ギリシャの数学者たちは皆、何も無いものを数える必要などないと考えていた。無いんだから、数字で書き表わすことも不可能だ。このもっともな論理をひっくり返した人々がいたのだよ。無を数字で表現したんだ。非存在を存在させた。素晴らしいじゃないか」

「はい、そう思います」

ルートの心配が何故インドの数学者に取って代られたのかよく分からないが、私は同意した。博士が熱心に説くことであれば、それは間違いなく素晴らしいのだと、私は既に経験から学んでいた。

「偉大なインドの先生が神様の手帳に書かれた0を発見して下さったおかげで、それまで開かれなかったページが、パラパラとめくれていったという訳ですね」

「その通り。全くその通りだ。君は非常に物分かりがいい。感謝の気持には欠けるが、数学全体を見渡す大胆さは持ち合わせている。さあ、ちょっとこれを見てご覧」

博士は胸ポケットから鉛筆とメモ用紙を取り出した。もう何度も目にしてきた仕草だった。彼が一番、スマートに見える一瞬でもあった。

「この二つの数字が区別できるのは、0のおかげだ」

安楽椅子の手摺りを台にして博士が書いたのは、38と308だった。0の下に二本、アンダーラインが引いてあった。

「38は、10が三つと1が八つでできている。308は、100が三つ、10が零、1が八つだ。10の位は空いている。その空席を、0が記号として表示してくれているんだ。分かるね」

「はい」

「よろしい。では、ここに物差しがあるとしよう。一ミリ刻みの目盛りが入った、木製の三十センチ差しだ。一センチごと、五センチごとに大きな目盛りが打ってある。その一番左端はどうなっている？」

「0です」

「そうだ。段々調子が出てきたぞ。左端の目盛りは0だ。物差しは0からはじまっている。測りたい場所の端を0に合わせれば、自動的に長さが分かる。もしこれが1からはじまっていたら、面倒なことになるぞ。今我々が心置きなく物差しを使えるのも、0のおかげなのだ」

まだ雨はふり続いていた。どこかでサイレンが鳴り響き、やがて雷にかき消された。

「しかし0が驚異的なのは、記号や基準だけでなく、正真正銘の数である、という点なのだ。最小の自然数1より、1だけ小さい数、それが0だ。0が登場しても、計算規則の統一性は決して乱されない。それどころか、ますます矛盾のなさが強調され、秩序は強固になる。さあ、思い浮かべてごらん。梢に小鳥が一羽とまっている。澄んだ声でさえずる鳥だ。くちばしは愛らしく、羽根にはきれいな模様がある。思わず見惚れて、ふっと息をした瞬間、小鳥は飛び去る。もはや梢には影さえ残っていない。ただ枯葉が揺れているだけだ」

本当にたった今、小鳥が飛び去っていったかのように、博士は中庭の暗がりを指差した。雨に濡れ、闇は一層濃くなっていた。

「1−1=0

美しいと思わないかい?」

博士はこちらを振り向いた。一段と大きな雷鳴が轟き、地響きがした。母屋の明かりが点滅し、一瞬何も見えなくなった。私は彼の背広の袖口を握りしめた。

「大丈夫。安心していい。ルート記号は頑丈だ。あらゆる数字を保護してくれる」

そう言って博士は、私の手をさすった。


予定どおりルートは帰ってきた。おみやげは小枝とどんぐりで作った眠りウサギの置物だった。博士はそれを仕事机の上に飾った。足元には、

『ルート（家政婦さんの息子さん）からのプレゼント』

と書いたメモ用紙を貼り付けた。

キャンプの初日、雷雨でひどい目に合わなかったか尋ねたが、雨など一滴も降らなかった、とルートは答えた。結局、雷は近くにあるお宮の銀杏の木に落ちたようだった。離れには暑さと蟬の鳴き声が戻り、濡れたカーテンも床もすぐに乾いた。

ルートが一番気にしていたのはタイガースだった。留守の間に、タイガースが首位に躍り出てはいないかと期待していたようだが、そううまく事は運ばず、首位のスワローズに負け越して四位にまで転落していた。

「僕がいない間もちゃんと、応援してくれてた？」

「ああ、もちろんだ」

博士は答えた。タイガースの調子が悪いのは博士が応援をさぼったせいだと、ルートは疑って

いた。

「だけどラジオのつけ方を知らないじゃないか」

「お母さんに教わったよ」

「本当？」

「本当だとも。ちゃんと野球が聞こえてくるように、お母さんにつまみを合わせてもらった」

「ただぼんやり聞いているだけじゃあ、勝てないんだよ」

「分かってるさ。一生懸命に応援したよ。お願いですから江夏が三振を取りますようにと、ずっとラジオを拝んでいたんだ」

疑いを晴らそうとして、博士はあれこれ言い訳をした。

こうしてまた、夕方になると食堂にラジオが流れる生活が戻ってきた。

それは食堂の食器戸棚の上に置かれている。宿題を解いたご褒美に電気屋さんで直してもらって以来、快調に鳴っている。時折雑音がひどくなるのは、機械のせいではなく、離れの地形が悪いからに違いない。

ナイター中継が始まるまで、ボリュームは絞ってある。私が台所で夕食の支度をする音や、表通りを走り抜けるバイクのエンジン音や、博士の独り言やルートのくしゃみに紛れ、本当にスイッチが入っているのかどうかさえ分からないほどだ。皆が静かになった瞬間だけ、音楽が聞こえてくる。いろいろな曲が掛かっていたはずなのに、どれもこれも、遠い昔耳にした覚えがあるだけで、曲名を思い出せなかったのは何故だろう。

博士は窓辺の指定席、安楽椅子で本を読んでいる。ルートは食卓に大学ノートを広げ、何やらごそごそやっている。表紙にある《整係数三次形式№11》が二本線で消され、その下にルートの字で《タイガース手帳》と書いてある。タイガースのデータを彼なりにまとめるため、博士のいらないノートを譲ってもらったのだ。だから最初の三ページには解読不能の数式が記され、その次からは、仲田の防御率や新庄の打率が綴られている。

私はパン生地をこねている。夕食は久しぶりにパンにしようという話で三人まとまっている。ほかほかのパンにチーズやハムや野菜や、好きなものをのせて食べるのだ。

日が傾きだしても、暑さが和らぐ気配はない。昼間、太陽を浴びた木々の葉が体温を発散しているからだろうか、開け放した窓から入ってくるのは風ではなく、熱気ばかりだ。ルートが学校から持ち帰った鉢植の朝顔は、花弁を閉じ、既に眠りにつく準備を整えている。中庭で一番高い青桐の幹の葉陰には、幾匹もの蟬が羽を休めているのが見える。

発酵を終えたばかりのパン生地はとても柔らかい。いつまでもその中に指を埋めていたくなる。調理台も床も粉で白くなっている。額を流れる汗を腕で拭うたび、私の顔も粉だらけになる。

「ねえ、博士」

鉛筆を握り、ノートを見つめたまま、ルートが声を掛ける。あまりの暑さに我慢できず、ランニング一枚に、パンツしかはいていない。さっきプールから帰ってきたばかりで、まだ髪が湿っている。

「何だね」

博士は顔を上げる。老眼鏡が小鼻のところまでずり落ちている。

「塁打って何？」

「安打で奪った塁数のことだよ。シングルヒットなら1、二塁打なら2、三塁打なら3。だから、ホームランなら……」

「4だ」

「正解」

博士は心からうれしそうな顔をする。

「お仕事の邪魔はしないのよ」

私はパン生地を小さくちぎり、同じ大きさに丸めてゆく。

「分かってる」

ルートは答える。

空にはひとかけらの雲も見えず、緑はまぶしく、地面には木漏れ日が揺れている。指を折りながら、ルートは塁打を数えている。私はオーブンに火をつける。ラジオの音楽が雑音で途切れ、しばらくして元に戻る。

「ねえ、ねえ」

またルートが口を開く。

「何？」

私が答えると、

「違うよ、ママじゃないよ」

と言う。

「規定打席はどうやって求めたらいいの？」

「試合数に3・1を掛ければいい。小数点以下は切り捨てるんだ」

「四捨五入しなくていいの？」

「ああ、そうだよ。どれ、見せてごらん……」

博士は本を閉じて椅子に置き、ルートのそばに行く。メモ用紙たちがサワサワとつぶやく。博士は片手を食卓につき、もう片方の手をルートの肩にのせる。二人の影が重なり合う。椅子の下で、ルートが足を揺らす。私はオーブンにパンを入れる。

やがて、野球中継の始まりを知らせる音楽が聞こえてくる。ルートは手をのばし、ボリュームのつまみを回す。

「今日は絶対負けられないんだ」

毎日ルートはそう言っている。

「さあ、先発は江夏かな」

博士は老眼鏡を外す。

私たちはまだ誰の足跡もついていない、真っさらなマウンドを思い浮かべる。土は水分を含んで黒々とし、丁寧にならされ、ひんやりとして見える。

「守ります阪神、ピッチャー……」

場内アナウンスが、観客の歓声と、雑音にかき消される。私たちはマウンドへ向から先発ピッチャーの、スパイクの足跡を思い浮かべる。パンの焼ける匂いが、食堂中に満ちてくる。

9

夏休みも終わりに近付いたある日、博士の歯が誤魔化しきれないほどに腫れ上がった。タイガースが夏のロードを十勝六敗で勝ち越し、首位のヤクルトに2・5差の二位で、甲子園へ帰って来た日だった。

誰にも言わず、ずっと一人で我慢していたらしい。ルートに対して発揮する注意力の何分の一かでも自分に向けてくれれば、これほどひどくはならなかったろうに、私が気が付いた時には、左頬がいびつに膨らみ、満足に口も開けられない状態に陥っていた。

博士を歯医者へ連れて行くのは、散髪屋や野球観戦に連れ出すのよりも簡単だった。あまりの痛さのため、へ理屈をこねる気力をなくしていたし、唇が動かないので、そのへ理屈を声に出すこともできなかったからだ。博士はワイシャツを着替え、靴をはき、歯医者までの道のりを素直に歩いた。痛む歯をかばうように背中を丸め、私がかざす日傘の陰におさまった。

「ちゃんとここで待っていてくれなくては困るよ」

待合室の椅子に腰掛け、うまく回らない舌で、博士は何度も念を押した。言葉が通じているかどうか心配だったのか、それとも私を信用していないだけなのか、順番を待っている間、ほとんど五分置きに同じ台詞を口にした。

「僕が治療を受けている間、ふらふら出歩いたりしては駄目だ。ちゃんとここの、この椅子に座って、待っていてくれなくてはいけない。いいね」

「もちろんですとも。博士を置いて、どこにも行ったりしませんよ」

少しでも痛みが和らげばと思い、私は背中をさすった。他の患者たちは皆うつむき、私たち二人を意識の外へ追い出そうと苦心していた。そういう時に漂う気まずい雰囲気の中で、どういう態度を取ったらいいか、私は十分に心得ていた。ピュタゴラスの定理のように、あるいはオイラーの公式のように、毅然としていればいいのだ。

「本当だね？」

「ええ。何の心配もいりません。いつまでもずっとここで待っていますから」

そんなふうに言っても彼を安心させることはできないとよく分かっていながら、私は何度でも同じ答えを繰り返した。診察室へ続くドアを閉める最後の最後まで、博士は後ろを振り返り、私の姿を確かめていた。

診察は思いの外長引いた。後から順番を呼ばれた患者が精算を済ませて帰って行ってもまだ、博士は姿を見せなかった。入歯の手入れも歯磨きもしない上に、治療に協力的な態度を示すとは思えず、たぶんお医者さんも苦労しているのではないだろうかと思われた。時折私は腰を浮かせ、受付の窓口から中を覗いてみたが、見えるのはただ博士の後ろ頭だけだった。

ようやく治療が終わり、診察室から出てきた彼は、痛みを我慢している時よりも明らかに不機嫌だった。疲労の色が濃く、額に汗をにじませていた。しきりに鼻をすすったり、麻酔で痺れているらしい唇を、忌ま忌ましげにつねったりした。

「大丈夫ですか？　お疲れになったでしょう。さあ……」

立ち上がり、手を差し伸べようとする私の脇を、博士は素通りしていった。こちらに目を向けないばかりか、私の手を払いのけようとさえした。

「どうかしたんですか？」

博士の耳に私の声は届いていなかった。彼はスリッパを脱ぎ散らかし、よろめきながら靴をはき、そのまま外へ出て行ってしまった。慌てて私は受付でお金を払い、次の予約をお願いする間もなく、後を追い掛けた。

博士は最初の四つ角に差し掛かろうとしているところだった。帰る方向は間違えていないが、車の往来など気にせず道の真ん中をずんずん進み、信号も無視しかねない勢いだった。これほどの早足で彼が歩けるとは驚きだった。背中にも不機嫌さがにじみ出ていた。

「ちょっと待って下さい」

大きな声を出して呼び止めようとしたが、通行人に怪訝な顔をされるだけだった。真夏の日差しが照りつけ、めまいがしそうなほど暑かった。

だんだん私まで腹立たしくなってきた。歯の治療でちょっと痛いめに合ったくらいで、そんなに怒らなくてもいいではないか。あのまま放っておいたら、もっとひどい事になっていたはずだ。いつかは治療しなければいけなかったのだ。ルートだってそれくらい我慢できる。そう、ルートを一緒に連れてくるべきだった。そうすればもう少し大人の振る舞いができただろう。私はきちんと言い付けを守り、じっと博士を待っていたのに……。

しばらく好きにさせておけばいい、という意地悪な気持になり、私はわざと歩調をゆるめ、追い付くのをやめた。相変わらず博士は、クラクションを鳴らされても電信柱にぶつかりそうになってもひるむことなく、前だけを見据えて歩き続けた。一刻も早く家へ帰り着かないではいられない様子だった。出掛けに櫛を入れたはずの髪はいつの間にかくしゃくしゃに乱れ、背広は皺だらけになっていた。離れている距離よりも、背中はもっと小さく見えた。太陽の加減で姿がふっと日光に紛れてしまう瞬間もあったが、反射してきらめくメモ用紙のおかげで、見失うことはなかった。それは博士の居場所を知らせる暗号のように、複雑な光を放っていた。

はっとして私は日傘の柄を握り直した。それから腕時計を見た。おぼろげな記憶を頼りに、博士が診察室に入ってから出てくるまでの時間を計算してみた。十分、二十分、三十分……と目盛りを指差して数えた。

私は博士の背中に向かって駆け出した。サンダルが脱げそうになるのも構わず、メモ用紙のきらめきだけを頼りに走った。それはもう次の角を曲がり、町の影に飲み込まれようとしていた。

博士が浴室で行水をしている間に、『JOURNAL of MATHEMATICS』の整理をした。懸賞問題に打ち込む割りに、博士はその雑誌を重要視しておらず、懸賞のページ以外を開くことはほとんどないまま、書斎のあちこちに無造作に打ち捨ててあった。それらを拾い集め、ナンバーの古い順に並べたあと、目次を確認し、懸賞金獲得者として博士の証明が掲載されている号だけ抜き取っていった。

博士の名前を発見する確率は高かった。目次の中でも賞金獲得者の項目は活字が大きく、特別な飾りで縁取られていたのですぐ目に付いた。博士の名前は実に立派に誇らしげに印刷されていた。活字になった証明は、手書きの時の温もりが消えた分、気高さが加味された感じで、私が見ても論理の強固さが伝わってくるようだった。

長く静寂の壁に覆われているからだろうか。書斎は一段と暑かった。博士の証明が載っていない雑誌を段ボールに仕舞いながら、私はもう一度歯医者での出来事を思い起こし、時間を計り直した。待合室と診察室に分かれていても、同じ建物の中にいるのだからと、油断したのがいけなかった。どんな場合であれ、博士と一緒の時には常に八十分の意識を持ち続けているべきだった。

しかし、何度計り直しても、私たちが離れていた時間は六十分足らずのはずだった。

いくら数学者でも生身の人間なのだから、そういつもいつも正確に八十分のサイクルを保てる訳ではないはずだ、と私は自分に言い聞かせた。日々気象条件も違えば、接する人間も変化する。体調がすぐれない時だってある。特にあの時は歯が痛かったのだ。見慣れない他人に口の中をいじり回され、神経が高ぶって八十分テープの回転に狂いが生じたとしても、不思議ではない。

博士の証明を床に積み上げてゆくと、私の腰よりも高くなった。何の変哲もない雑誌の中に、博士の築いた証明が宝石のようにちりばめられているかと思うと、いとおしい気分になった。私は雑誌の山を一冊一冊、丁寧にそろえていった。それは彼が数学のために費やしたエネルギーの堆積であり、彼の数学的能力が不幸な事故によっても決して損なわれていないという、事実の証明でもあった。

「何をしているのかね」

いつの間にか博士がお風呂から上がり、顔をのぞかせていた。麻酔が切れていないのか、唇はまだ歪んでいたが、頬の腫れはひいていた。気分もさっぱりして、痛みもなくなったようだった。私は気付かれないようにそっと掛け時計に目をやり、浴室にいた時間が三十分足らずであるのを確認した。

「雑誌の整理をしているんです」

「それはそれは、ご苦労さま。しかしまあ、すごい山だ。重くて申し訳ないが、どこかへ捨ててきてもらえないだろうか」

「とんでもない。捨てるなんてできません」

「何故だい」

「だって、これを全部やり遂げたのは、博士なんですよ。あなたが全部、お一人でやったんです」

私は言った。

博士は何も答えず、たじろぐような目で私を見つめた。髪の毛からしたたり落ちる雫が、メモ用紙を濡らしていた。

午前中、うるさいほどに鳴いていた蟬は静まり、中庭を満たすのはただ、降り注ぐ夏の日差しだけだった。それでもよく目を凝らせば、稜線のもっと向こうの遠い空に、秋の気配を感じさせる薄い雲が掛かっているのが見えた。ちょうど、一番星が昇るあたりの空だった。

ルートの新学期が始まってすぐ、『JOURNAL of MATHEMATICS』から、懸賞問題一等獲得の知らせが届いた。夏の間中ずっと取り組んでいた例の問題だった。

けれど案の定、博士は喜ばなかった。雑誌社からの葉書をよく読みもしないで食卓に放り投げたきり、何の感想も述べず、一瞬の笑みさえ浮かべようとしなかった。

「ジャーナルオブの発行以来、最高額の懸賞金ですよ」

私は念を押すように言った。雑誌の名前を正式に発音する自信のない私は、いつもそれをジャーナルオブと縮めて呼んでいた。

「はあ……」

興味がなさそうに、博士はため息をこぼした。

「あの問題を解くのにどれほど苦労なさったと思うんですか。食べるものも食べず、満足に眠りもせず、朝から晩まで数字の世界をさ迷い続けていらしたんです。身体中あせもだらけになって、背広には塩が噴いていたじゃありませんか」

問題を解いた記憶が失われているのは承知した上で、私は彼の努力を本人自身に向かって力説した。

「私は忘れませんよ。お預かりした証明の厚みと重さを。それを郵便局の窓口へ差し出した時の、誇らしい気持を」

「ああ、そうか……うん」

どこまで行っても、博士の反応はいらいらするほど鈍かった。

自分が成した物事の影響について、過小評価するのは、数学者全般に見られる傾向なのだろうか。それとも博士固有の人間性に由来するものなのだろうか。数学者にも功名心はあるだろうし、数学と無縁なその他大勢の人々からも注目されたいという欲望だってあるだろう。だからこそ学問として発展してきたのだから、やはり彼の場合、記憶の仕組みに問題が集約されているのかもしれない。

いずれにしても、一度終結させた証明については驚くほど淡泊だ。あらん限りの愛情を傾けた対象が真実の姿を現わし、こちらに振り向いてくれた途端、慎み深く、無口になる。自分がどれくらいの情熱を注ぎ込んだか訴えもしなければ、見返りを要求もしない。それが本当に完全であるかどうかを確認した後は、ただ静かに歩みを先へ進めるだけだ。

数学だけに限らない。怪我をしたルートを病院へ運んでくれた時も、身を挺してファールボールを防いでくれた時も、私たちの感謝の気持を上手に受け取ることができなかった。頑固だからでも、ひねくれているからでもなく、どうしてそれほどまでに自分が感謝されるのか、理解できなかったのだ。

自分にできるのは、ほんのちっぽけなことに過ぎない。自分ができるのならば、他の誰かにだってできる。博士はいつも、そう心の中でつぶやいている。

「お祝いをしましょう」

「祝いなど、必要ないと思われるがね」

「頑張って一等賞を獲った人を、皆で祝福すれば、喜びが倍増します」

「僕は別に、喜びたくはないんだよ。僕がやったのは、神様の手帳をのぞき見して、ちょっとそれを書き写しただけのことで……」

「いいえ。お祝いします。たとえ博士がお喜びになりたくないとしても、私とルートが喜びたいのです」

博士の態度が変化したのは、ルートの名前が出てからだった。

「あっ、そうだ。ルートの誕生日祝いも一緒にやりましょう。九月十一日なんです。博士が一緒なら、きっと喜びます」

「何歳の誕生日かね」

私の作戦は的中だった。たちまち博士は事の成り行きに関心を示しだした。

「十一歳です」

「11……」

博士は身を乗り出し、何度かまばたきし、髪の毛をかきむしって、食卓にふけをまき散らした。

「そうです。11です」

「美しい素数だ。素数の中でも殊更に美しい素数だ。しかも村山の背番号だ。素晴らしいじゃないか、君」

誕生日は一年に一度、誰にでも巡ってくるもので、数学の証明で一等になるのに比べれば、素晴らしいというほどのこともないのでは、と思ったが、もちろん口には出さず素直に同意した。

「ようし。お祝いをしよう。子供には祝福が必要だ。いくら祝ってやってもやり過ぎということがない。ご馳走とろうそくと拍手があれば、子供は幸せなのだ。たやすいことだよ、ねえ君」

「ええ、おっしゃるとおりです」

私はマジックペンを持ち、食堂のカレンダーの九月十一日を、どんなにぼんやりした人間でも見逃しようがないくらいの大きな丸で囲った。博士は『九月十一日(金)ルートの11歳誕生日祝い』と記した新しいメモを作り、胸元の一番大切なメモの下側に無理矢理スペースを空け、そこに留めた。

「うん、これでよし」

満足気にうなずきながら、博士は新入りのメモ用紙を見つめた。

ルートと相談した結果、博士のお祝いには江夏の野球カードをプレゼントすることにした。博士が食堂でうたた寝をしている間に、こっそり本棚のクッキー缶をルートに見せたところ、相当の興味を示した。博士には内緒なのも忘れ、床に座り込み、一枚一枚カードを取り出しては裏表隅々まで眺め回し、感嘆の声を上げた。

「博士の宝物なんだから、曲げたり汚したりしないよう気をつけてね」

とひやひやしながら注意しても、上の空だった。

ルートはその時生まれて初めて、野球カードというものと正面から出会ったのだ。友だちが持っているのを見せてもらって、存在を漠然とは知っていただろうが、ほとんど無意識のうちに、関わり合うのを避けていたのではないかと思われる。彼は決して、ただの楽しみのために、しかも自分一人の楽しみのためだけに、母親にお金をねだったりしない子だったからだ。

しかし、博士のコレクションを目の当たりにしては、もう後戻りできなかった。ルートはそこにもう一つの野球の世界が広がっており、実物の野球とは違う種類の魅力であふれている事実を知ってしまった。ラジオや球場で繰り広げられるあの野球を、小さなカードが、守護天使のように見守っている有様に触れてしまった。瞬間を捕える写真の切れ味、誇らしげに記された偉大な記録、憧れを抱かせるエピソード、掌におさまる端正な長方形、太陽の光を受けてきらめくクリアーケース……。カードにまつわるものすべてが、ルートを魅了した。さらには、これだけのコレクションを完成させるために博士が払っただろう、喜びに満ちた労力に思いを馳せては、うっとりした。

「ねえ、見て、この江夏。飛び散った汗まで写ってるよ」

「わあ、バッキーだ。すごく手が長い」

「こっちのはすごいよ。スペシャルだよ。電灯にかざすと、江夏の姿が立体的に浮かび上がる加工がしてあるんだ」

ルートはいちいち感動を口に出して説明し、私に同意を求めた。

「もう分かったから、片付けなさい」

食堂から安楽椅子の軋む音が聞こえてきた。そろそろ起き出してくる時間だった。

「今度博士に頼んで、ゆっくり見せてもらいましょう。順番を間違えてない？　厳密に分類してあるんだから……」

そう私が言い終わらないうちに、思いの外カードが重かったからか、興奮が続いていたからなのか、ルートはクッキーの缶を落としてしまった。かなり派手な音がした。びっしり隙間なく詰まっていたおかげで、衝撃の割に被害は少なかったが、それでもカードの一部（そのほとんどが二塁手）が床に散らばった。

大慌てで私たちは復旧作業に取り掛かった。幸いにもクリアーケースが割れたり、ひびが入ったりしたカードは一枚もなかった。ただし博士のコレクションがクッキー缶の中であまりにも完璧な姿を保っていたために、ほんの一か所が崩れただけで、取り返しのつかない傷を負ってしまったかのように見えた。そのために私たちはますます焦った。

もういつ博士が目を覚ましてもおかしくなかった。よく考えてみれば、ルートの願いなら博士は快くコレクションを見せてくれただろうから、こそこそする必要などなかったのに、何故かクッキー缶の野球カードに関して、私は遠慮していた。遠慮して余計に失礼な結果を招いていた。もしかしたら少年が自分だけの秘密をどこかへ隠しておくのと同じように、博士もこれを他人に見られるのが嫌なのではないだろうかと、勝手に思い込んでいた。

「この人は白坂で、し、だから、鎌田実の次に入れて」

「これ、何て読むの？」

「ふりがなが振ってあるでしょう。ほんどうやすじ。だからもっと後ろの方」

「ママ、知ってる？」

「知らないけど、こうしてカードになるくらいだから、立派な選手だったんでしょう。さあ、そんなことはどうでもいいから、早く、早く」

とにかく私たちは一枚一枚のカードを、博士が定めた場所へ戻すことだけに集中した。その時ふと私は、缶の底が二重になっているのに気づいた。《本屋敷錦吾》のカードを手にしている時だった。長方形の縦の辺に比べ、缶の底の方が深かった。

「ちょっと待って」

私はルートを制止し、二塁手のブロックに空いた隙間に指を入れて探った。二重底なのは間違いなかった。

「ねえ、どうかしたの？」

怪訝な顔でルートが尋ねた。

「大丈夫。ママに任せて」

何故か急にそれまでの遠慮が消え、大胆になっていた。私はルートに仕事机の引き出しから定規を持ってこさせ、カードがばらけてしまわないよう注意しながら、それを差し込んで底を持ち上げた。

「ほら、見て。カードの下の奥の方に、何かあるでしょう。ママがこうして持ち上げている間に、引っ張り出せる？」

「うん、分かった。やれる」

ルートの小さな指は狭い隙間に滑り込み、上手に中身を取り出すことができた。

それは数学の論文だった。英文タイプライターでタイプされ、大学の校章らしい模様が入った表紙で綴じられた、百枚はあろうかと思われる証明だった。博士の名前がゴシック体でしっかり印字してあった。日付は一九五七年だった。

「博士が解いた算数？」

「そうね」

「でも、どうしてこんな所に隠してあるんだろう」

不思議でならないというように、ルートが言った。私はとっさに1992マイナス1957を暗算した。その時博士は二十九歳だった。いつしか食堂からの気配は途絶え、安楽椅子の軋む音は静まっていた。

《本屋敷錦吾》のカードを片手に握ったまま、私は論文をめくってみた。野球カードと同じくらい大事に仕舞われていたのが、すぐに分かった。用紙やタイプライターの活字は、年月相応の古めかしさを感じさせたが、人の手によって傷つけられた跡は残っていなかった。折り目や皺や汚れが一切見当らないのは、まさしく野球カード同様だった。更に優秀なタイピストがタイプしたからだろうか、活字の打ち間違いもなかった。一ミリの狂いさえないように綴じられ、角は九十度を保ち、用紙には指になじむ滑らかさが残っていた。どんなに高貴な王の遺品でさえ、これほど手厚く埋葬されてはいないだろうと思われるほどだった。

過去それに触れた人々の丁寧さを見習い、またルートがついさっき起した失敗を教訓に、私は細心の注意を払った。長い眠りを妨げられても、博士の論文の気高いたたずまいは変わらなかった。カードの重みにも、クッキーの匂いにも侵されていなかった。

一ページめ、解読できたのは第一行めの［Chapter1］だけだった。しばらくめくっているうち、アルティンと読める単語にいくつかぶつかった。散髪屋の帰り、博士が公園の地面に小枝で説明してくれた、アルティン予想を思い出した。その説明の続きに、私が発言した完全数28についての式を付け加えてくれたことや、地面に綴られた数式の上に、桜の花びらが舞っていた様もよみがえってきた。

その時、ページの間から白黒写真が一枚滑り落ちてきた。ルートがそれを拾った。どこかの河原で撮影されたものらしい。クローバーに覆われた斜面に、博士が腰を下ろしている。いかにもくつろいだ様子で足を投げ出し、降り注ぐ太陽の光に目を細めている。とても若くてハンサムだ。背広姿なのは今と変わらないが、身体中から才能があふれ出ているように見える。もちろん背広には、一枚のメモも留まっていない。

そして隣には、女性が寄り添っている。スカートの裾をふんわりと広げ、そこから靴の先だけをのぞかせ、はにかみながら博士の方に首を傾けている。身体はどこも触れ合っていないが、二人の間に親愛の情が通っているのはこちらにも伝わってくる。どれほど長い年月が経っていようと、それが母屋の未亡人であるのは見間違えようがなかった。

博士の名前と［Chapter1］の他にもう一つだけ、私に理解できる一行があった。表紙の一番上、証明のスタートを飾る先頭。それだけがタイプではなく手書きで、日本語だった。

～永遠に愛するＮへ捧ぐ　あなたが忘れてはならない者より～

江夏の野球カードをプレゼントすると決めたものの、いざ手に入れようという段階になると、そう簡単ではないのが分かってきた。タイガース時代の、つまり一九七五年以前の江夏カードは、博士がほぼすべてを網羅していたからだ。それ以降発売された新しいバージョンには、たいていトレードの事実が記載されていたし、南海や広島のユニフォームを着た江夏では話にならなかった。

私とルートはまず野球カード専門の雑誌を買い（そんなものが本屋で売られていること自体、新鮮な発見だった）、どんな種類のカードがあって、幾らくらいの値段で、どこへ行けば手に入るのか調べた。ついでにカードの歴史や、コレクターとしてのマナーや、保管上の注意点などに関する知識も仕入れた。週末になると雑誌の巻末に載っているカードショップの一覧を頼りに、行ける範囲のお店を全部回った。しかし、成果は上げられなかった。

カードショップはどこも、高利貸しや探偵事務所や占いの店が入居している、古びた雑居ビルの一室にあった。エレベーターに乗っているだけで憂うつになるようなビルばかりだったが、一歩カードショップに足を踏み入れれば、ルートにとってそこは楽園だった。博士のクッキー缶を数知れず寄せ集めた世界が、広がっているのだった。

あれもこれもと目移りするルートをなだめ、私たちはひたすら江夏豊を目指した。さすがに彼のコーナーは充実していた。博士のクッキー缶分類法はどのショップにも通用した。チーム別、時代別、ポジション別、あらゆる分類から区別された彼専用の場所が、長嶋や王の隣に用意されていた。

私たちは江夏コーナーに陣取り、私は先頭から、ルートはお尻から、一枚一枚カードをチェックしていった。次の一枚に見知らぬカードが隠れているかもしれない、この次にこそ幻の江夏が登場するかもしれない。そういう期待を持ちながら点検を続けるのは、体力のいる作業だった。太陽の射さない森を磁石もなく探索しているようなものだった。けれど私たちは弱音を吐かず、それどころか少しずつコツを覚え、技術を習得し、点検作業のスピードをアップさせていった。

まず、人差し指と親指で一枚を引っ張り上げ、クッキー缶の中にあった種類ならすぐさま元に戻し、見慣れない場合には、必要条件を満たしているかどうか注意を払って確かめる。それを次から次へと、ほとんど瞬時の判断の元、繰り返してゆくのだった。

どれもこれも、見覚えがあるか、見慣れないユニフォームを着ているか、トレードの経緯を親切に説明したカードばかりだった。しかも博士が収集した、デビュー間もない頃の白黒の江夏は値段が高く、貴重なものであるのが分かった。そこへ加えるのに相応しいカードとなると、やはり骨が折れそうだった。やがて真ん中あたりでルートと指がぶつかり合い、また一つ可能性が消えたのを思い知らされ、ため息をついた。

私たちが長い時間粘って、結局一円のお金も使わなくても、店の人は嫌な顔をしなかった。江夏豊を探しているんです、と言えば快く店中にあるのを全部出してきてくれたし、お目当てのが見つからずがっかりしている私たちに、元気出しなよ、と声を掛けてくれた。最後に訪ねた店では、私たちの希望に耳を傾けたあと、アドバイスさえしてくれた。

つまり、一九八五年にあるお菓子メーカーが、チョコレートのおまけとして販売したカードを探してみたらどうか、という話だった。そのメーカーは常時おまけカードをお菓子に添付しているのだが、八五年は会社の創立五十周年を記念して、プレミアム仕様のカードが制作された。しかもその年、タイガースは優勝したので、特に阪神の選手が充実しているらしい。

「プレミアム仕様って、何ですか」

ルートは質問した。

「直筆のサイン入りや、ホログラムの加工をしたのや、選手が使用したバットを削って、カードの中に埋め込んだのがインサートされているんだ。江夏なら、八五年にはもう引退しているから、復刻版のグローブカードがあったはずだよ。一度だけ入荷したけど、すぐ売れちゃったんだ。人気が高いからね」

「グローブカードとは何ですか」

ルートの質問は続いた。

「グローブを小さく切って、その革の小片をカードに埋め込むのさ」

「実際に江夏が使ったグローブ？」

「もちろん。日本スポーツカード協会の認定カードだから、そのあたり、インチキはしていないはずだ。でもとにかく数が少ないからね。滅多に出会えないと思うよ。でもあきらめちゃ駄目だよ。世界のどこかには必ずあるんだ。入荷してきたら、君にすぐ電話してあげよう。僕も、江夏豊が好きだよ」

その人はタイガースの帽子のひさしをさっと持ち上げ、ルートの頭を撫でた。博士の仕草と、とてもよく似ていた。

九月十一日はもうすぐそこまで迫っていた。別のプレゼントに変更しても、何の不都合もないのではないかと私は提案したが、受け入れられなかった。ルートはあくまで野球カードにこだわった。

「途中止めしたら、絶対正解にはたどり着けないんだよ」

それがルートの意見だった。

もちろん博士に喜んでもらうのが一番の目的だったろう。ただ、正直なところ、カード収集の体験を自分自身大いに楽しんでいたのも事実だと思う。彼はまるで、世界のどこかに必ずあるという、一枚のカードを求め、旅する冒険家のような気分になっていた。

博士は食堂にいる間、何度でも繰り返しカレンダーに目をやった。時折壁に近寄って、私がつけた九月十一日の丸を、指でなぞったりもした。胸元のメモはしっかりと留められていた。彼は彼なりのやり方で、ルートの誕生日祝いの日を忘れないよう努力していた。たぶん、ジャーナルオブの件は忘れていただろうが。

クッキー缶事件は、結局ばれなかった。あの時私はしばらく、論文の表紙から目が離せないでいた。永遠に愛するN……の文字をじっと見つめていた。それは間違いなく博士の筆跡だった。博士にとっての永遠は、普通の意味とは違う。数学の定理が永遠であるのと同じように、永遠なのだ。

早くすべてを元通りにするよう促したのはルートだった。

「さあ、ママ。もう一度定規を差し込んで、隙間を空けて」

ルートは私の手から論文を取り、缶の底に戻した。急いではいても、乱暴にはしなかった。それが保ち続けてきた秘密を汚してはならないと、自分で自分を戒めているかのようだった。

残らずカードはおさまり、どこにも不審な点は見受けられなかった。カードの縁は気持ち良くそろい、缶には落下したへこみもなく、あいうえおの順番は合っている。なのに、どこかが違っていた。Nに捧げられた証明が暗い地下に潜んでいると知ってしまった以上、それはただの見事な野球カードコレクションではなく、博士の記憶を埋葬した棺となった。私は棺を本棚の奥に安置した。

わずかながらも期待をしていたのだが、ショップのお兄さんから電話は掛かってこなかった。雑誌の読者コーナーに葉書を出してみたり、友だちや友だちのお兄さんに尋ねてみたり、ルートは最後の努力を続けていた。私は望みのカードが手に入らない場合を考え、手遅れにならないよう、こっそりバックアップ用のプレゼントを用意した。それを何にするか迷いに迷った。4Bの鉛筆、大学ノート、クリップ、紙切れ、ワイシャツ……。博士が必要としているものはほんのわずかしかなかった。ルートに相談できないだけに余計難しかった。

そうだ。靴にしよう。私は思った。博士には靴が必要だ。思いついた時、いつでも、どこへでも自由に歩いてゆける、黴のはえていない靴が。

ルートがまだ小さかった頃よくそうしたように、私はプレゼントを押入の隅に隠した。もし本命が間に合ったら、これは黙って靴箱へ置いておけばいいと思った。

希望の光は意外な方向から射してきた。お給料の受取りに事務所まで行った時、あけぼのの家政婦仲間が、昔お母さんが営んでいた雑貨店の納屋に、お菓子のおまけだった野球カードらしきものが残っているはずだ、ということを思い出してくれた。組合長も聞いていたので、もちろん私は博士のお祝いやルートの誕生パーティーについては何も言わず、ただ子供がそういうものを欲しがって困る、という具合に話題を持っていった。するとその家政婦が、自信はなさそうだったが、納屋に打ち捨てられたおまけについて話しだしたのだ。

私が期待を抱いたのは、老齢のためにお母さんが雑貨店を閉じたのが、一九八五年だと聞いたからだ。八五年の十一月、老人会の旅行用のおやつとして仕入れたお菓子の中に、例のチョコレートが含まれていた。老人たちには必要なかろうと、お母さんはチョコレートの箱の裏に張りついた、黒いビニール袋入りの薄っぺらなおまけを、一枚一枚はずしていった。春になって子供会の旅行のおやつを頼まれたら、その時に活用しよう。おまけを喜ぶのは、老人より子供の方に決まっている。それが野球カードだと分かっていたのかいなかったのか不明だが、家政婦のお母さんは正しい判断をした。けれど、子供会の旅行用の注文は届かなかった。お母さんが十二月に病気をして、お店を閉めてしまったからだ。こうして百枚近くの野球カードが、雑貨店の納屋で長い眠りにつくこととなった。

組合からそのまま彼女の家に立ち寄り、両手で抱えてもずっしりと重い、埃だらけの段ボールをもらって帰った。いくばくかの代金を支払わせてほしいという私の申し出を、気立てのいい彼女はあっさり断った。カードショップへ持って行けば、チョコレートの値段より高く売れることは、私も敢えて口に出さず、ありがたく頂戴した。

アパートに帰り着くや否や、早速私とルートは作業に取り掛かった。まず私がハサミで封を切り、ルートが中身を取り出してチェックする。たったそれだけではあるが、私たちはうまく呼吸を合わせ、無駄を省き、的確に仕事を進めてゆくことができた。既に私たちは、短期間の間に野球カードの取り扱いについて、熟練した技を習得していた。ルートなど手触りだけで種類の違いを判別できるほどだった。

大下、平松、中西、衣笠、ブーマー、大石、掛布、張本、長池、堀内、有藤、バース、秋山、門田、稲尾、小林、福本……。次々と選手が登場してきた。お兄さんが教えてくれたとおり、立体的に浮かび上がるのや、直筆のサインが入ったのや、ゴールドに光るのもあった。もうルートはいちいち感嘆の声を上げたり、悔しがって舌打ちしたりしなかった。集中すればするほど早く、目的に到達できると信じているかのようだった。私の回りには黒いビニールの小袋が散乱し、ルートの手元にはカードが積み重なり、やがてそれが二人の間に力なく崩れていった。

段ボールに手をのばすたび、黴臭いにおいがした。カードに染み込んだチョコレートのにおいが、変質していたのかもしれない。正直なところ、半分を過ぎたあたりで望みは消えかかっていた。それどころか、何のためにこんなことをしているのか、自分が何を求めているのかさえ、だんだんあいまいになってきた。少なくとも私はそうだった。

野球選手の数は多すぎる。一試合九人も出場して、更にセ・リーグとパ・リーグの二グループあって、歴史が五十年以上もあるのだから仕方ない。もちろん江夏が偉大な選手だというのはよく分かっている。しかし、江夏以外の偉大な選手、例えば沢村や金田や江川にだってファンはいるのであり、そのファンたちにもカードは必要なのだ。だからこんなにたくさんのカードが目の前にあるのに、本当に欲しいたった一枚のカードにさえ巡り合えないとしても、腹を立ててはいけない。イライラする必要はない。ルートの気が済めばそれでいい。押入にはちゃんとプレゼントが隠してある。高級品とは言えないが、野球カード一枚の値段よりは高いし、シンプルなデザインで履き心地も悪くなさそうだ。きっと博士も喜んで……

「あっ」

ルートが短い声を漏らしたのはその時だった。入り組んだ文章問題を解決へ導く公式を思いついたような、手掛かりの見えない図形問題を一気に打開する補助線を見つけたような、大人びた声だった。そのトーンがあまりにも冷静沈着だったので、私はしばらく、今ルートの手にあるのが望みどおりのカードであることに、気づかないほどだった。

ルートは歓声を上げて飛び跳ねもしなかったし、私に抱きついてもこなかった。じっと掌にあるカードに視線を落としていた。少しの間、そうしてたった一人で江夏を見つめていたい様子だった。だから私も声を掛けなかった。江夏のグローブの切れ端が埋め込まれた、八五年限定のプレミアムカードだった。お祝いのパーティーの、二日前の夜だった。

素晴らしいパーティーだった。かつて自分が体験したうちで、最も心に残るパーティーだった。豪華でもきらびやかでもないという点においては、母子寮の一室で迎えた一歳の誕生日や、二人だけの七五三や、お祖母さんと一緒のクリスマスと同じだった。もっともこうしたイベントをパーティーと呼ぶのが適切かどうかはよく分からないが、それでも尚、ルートの十一回めの誕生日が特別だったのは、やはり博士がいてくれたからだと思う。そしてその日が、博士と過ごした最後の夜になってしまったからだ。

ルートが学校から帰るのを待って、私たちは三人力を合わせ、お祝いの準備をした。私は料理の支度をし、ルートは食堂の床を磨きながら、母親が指示する細々とした雑用をこなし、博士はテーブルクロスにアイロンを掛けた。

博士は約束を忘れていなかった。私をルートの母親かつ自分の家政婦であると認識するとすぐ、「今日は十一日だよ」と言ってカレンダーの丸印を指差した。ちゃんと覚えていたことを褒めてもらおうとするように、胸元のメモをつまんでひらひらさせた。

最初、彼にアイロン掛けを頼むつもりなどなかった。彼の不器用さを考えれば、ルートに頼む方がまだ安全なくらいだった。主役には普段どおり、安楽椅子でのんびりしていてもらう予定だった。ところが博士は自分も何か手伝うべきだと主張した。

「小さな子供がこうして立派にお手伝いをしているというのに、大の大人が寝そべってなどいられるものか」

彼の言い分は予想の範囲内だったが、実際に自分がやると言って、アイロンとテーブルクロスを持ち出してきたのは予想外だった。整理戸棚のアイロンの在処を博士が知っていること自体驚きだったし、更にその奥からテーブルクロスを引っ張り出してきた時には、手品でも見せられたような気分だった。通いだして半年以上になって初めて、私はこの家にテーブルクロスがあるのを知った。

「パーティーの準備で真っ先にしなければならないのは、清潔なテーブルクロスを広げることだよ。そうは思わないかい？　僕はね、アイロン掛けが上手なんだ」

どれくらい長い間、忘れ去られていたのだろう。テーブルクロスは皺だらけだった。

残暑は去り、空気は乾いて透き通り、中庭に射す母屋の影の形も、木立の葉の色合も真夏とは違っていた。光はまだそこかしこにあふれているのに、一番星と月がひっそりと浮かび、雲が刻々と姿を変えていた。木々の根元には暗闇が忍び込もうとしているが、その気配はまだ弱々しく、夜の訪れまでにはもうしばらく猶予がある。一日のうちで、私たちが一番好きな夕方だった。

博士は安楽椅子の脇にアイロン台をしつらえ、早速仕事に取り掛かった。何と彼はコードの引き出し方から、スイッチの入れ方、温度調節の仕方までをも心得ていた。テーブルクロスを広げ、数学者にふさわしくそれを目分量で十六等分し、一つ一つのブロックを順々に片付けていった。

まず霧吹きの水を二度噴射させ、熱すぎないか手をかざして確認し、一番めのブロックにアイロンを押し当てる。把手をぎゅっと握り、生地を傷めないよう慎重に、しかしあるリズムを持ってアイロンを滑らせてゆく。眉間に力を込め、小鼻をふくらませ、自分の思い通りに皺がのびているかどうか、凝視している。そこには丁寧さがあり、確信があり、愛さえもがある。アイロンは理にかなった動きをする。最小の動きで最大の効果が得られる角度とスピードが保たれている。博士のテーマである優美な証明が、その古びたアイロン台の上に実現している。

私もルートも、博士ほどこの仕事に相応しい人はいないと認めざるを得なかった。そのうえそれは、レース模様のテーブルクロスなのだから、尚更だった。

各々三人に役目があること。お互いの息遣いがすぐそばに感じられ、ささやかな仕事が少しずつ達成されてゆくのを目の当たりにできることは、私たちに思いがけない喜びをもたらした。オーブンの中で焼ける肉の匂い、雑巾からしたたり落ちる水滴、アイロンから立ち上る蒸気、それらが一つに溶け合い、私たちを包んでいた。

「今日は甲子園でヤクルト戦だ」

口数が多いのは、やはりルートだ。

「勝てば首位だよ」

「優勝できるかしらね」

私はスープの味見をしてから、オーブンをのぞく。

「できるとも」

いつになくきっぱりとした口調で博士が答える。

「あそこを見てみなさい。一番星の下の端が欠けたように見える日は、いい事があるんだ。今日勝って、優勝する証だ」

「何だ。公式に当てはめて計算したんじゃないんだね。ただのあてずっぽうか」

「からぽっずてあのだた」

「逆さ言葉で誤魔化すなんてずるいよ」

いくらルートに責められようと、アイロンのリズムに狂いはなく、博士は最後のブロックへと進んでゆく。ルートは食卓の下へもぐり込み、普段の掃除では手が行き届かない、椅子の脚やテーブルの裏を拭く。私は食器戸棚を見渡し、ローストビーフを盛り付けるのに似合うお皿を探す。

中庭に目をやるたび、光が翳っているのに気づく。

最後の最後、いざ席についてパーティーを始めようという時になって、小さな手違いが見つかった。

本当に小さな手違いだった。大騒ぎする必要などない、さして気にも掛からない、いくらでも取り返しのつく問題だった。三人の誰かに責任があるわけでもなかった。責任があるとすれば、商店街のケーキ屋さんのアルバイト店員だった。ケーキの箱にろうそくが入っていなかったのだ。十一本のろうそくが立てられるほど立派なケーキではなかったので、太めのろうそく一本と細めのを一本頼んだのだが、冷蔵庫から箱を取り出してみると、それが見当らなかった。

「ろうそくのない誕生ケーキでは、ルートが可哀相すぎる。ろうそくの炎を吹き消してこそ、祝福が受けられるのに」

博士が炎を吹き消す本人のルートよりもろうそくにこだわり、やや落ち着きをなくしていたのは間違いないが、でもまだその段階では、パーティーにまつわる何物もダメージを受けてはいなかった。私たちは三人とも、準備のために自分たちが成した仕事の充実感に浸っていたし、これから味わうことになるだろう、料理やプレゼントの喜びの予感にあふれていた。

「私がケーキ屋さんまで走って、もらってきましょう」

エプロンを外そうとする私を制して、ルートが口をはさんだ。

「僕が行くよ。僕の方が足が早いんだから」

そう言い終わらないうちにルートはもう玄関を飛び出していた。

商店街は遠くないし、まだ日は暮れきってはいない。何も問題はない。私はケーキの箱を閉じ、ひとまず冷蔵庫に戻した。博士と私は食卓に腰掛け、ルートが帰ってくるのを待った。

テーブルクロスは見事に蘇っていた。どうしようもなく全体を覆っていた皺が一本残らず消え、レース模様の一目一目が浮かび上がり、冴えないただの食卓を、気品高いテーブルに変身させていた。ヨーグルトの瓶に飾ってあるのは、中庭で摘んだ名前も分からない野草だったが、彩りを添える役割は十分に果たしていた。お行儀よく並んだ三人分のナイフとフォークとスプーンは、デザインが不揃いなのに目をつぶれば、なかなか堂々として見えた。

それらに比べ、料理はどれもありふれたものだ。海老のカクテル、ローストビーフ、マッシュポテト、ほうれん草とベーコンのサラダ、グリンピースのポタージュ、フルーツポンチ。ルートの好物ばかりで、博士の嫌いな人参はどこにも入っていない。特別のソースもなく、凝った飾り付けもなく、ただ素朴なだけの料理だ。けれど、とてもいい匂いを運んでくれる。

私と博士は目を見合わせ、手持ち無沙汰で他に何をどうするか思い浮かばず、ただ微笑みだけを交わした。博士は咳払いをし、いつパーティーが始まってもいいように、背広の衿を引っ張って姿勢を正した。

テーブルの真ん中、ちょうどルートが座る席の前にだけ小さな空間があった。ケーキを置く場所だった。私たちはそこに視線を落としていた。

「遅いんじゃないだろうか」

ためらいがちに博士がつぶやいた。

「いいえ。そんなことはありませんよ」

私は答えた。けれど博士が時計を見ながら、時間についての言葉を発したことに、少なからず驚いていた。

「まだ、十分も経っていません」

「そうか……」

博士の気を紛らわせるため、私はラジオのスイッチを入れた。タイガース対ヤクルト戦の実況が始まったところだった。私たちは再び、ケーキの空間へ視線を戻した。

「今、何分たった？」

「十二分です」

「遅すぎはしないかね」

「大丈夫です。心配はいりません」

博士と出会ってから、何度この同じ言葉を使っただろうか、と私は考えた。大丈夫です、心配いりません。散髪屋で、診療所のレントゲン室の前で、野球場から帰るバスの中で。時には背中を、時には手をさすりながら。しかし本当に博士を慰めてあげられたことが、一度でもあっただろうか。博士の痛みはもっと別のところにあったのに、自分はいつも、見当違いの場所ばかりさすっていたような気がした。

「そのうち帰ってきますよ。大丈夫です」

なのに私が口にできるのは、やはり代わり映えのしない言葉だけだった。

あたりが暗くなるにつれ、博士の不安は大きくなっていった。三十秒おきに時計に目をやり、繰り返し衿を引っ張った。その拍子に何枚かメモが外れて落ちても、気づかないほどだった。

ラジオから歓声が聞こえてきた。一回の裏、阪神がパチョレックのタイムリーで先制点を上げたようだった。

「何分たった？」

質問の間隔はどんどん短くなっていった。

「何かあったに違いない。いくら何でも、遅すぎる」

博士の椅子が落ち着きなくガタガタ鳴っていた。

「分かりました。私が迎えに行ってきます。大丈夫です。心配いりません」

私は身を乗り出し、彼の肩に手をのせた。

ルートとは商店街の入り口で出会った。博士が心配したとおり、トラブルが発生していたのは間違いなかった。目指すお店が閉店時間を過ぎてしまっていたのだ。ただしルートは機転をきかせ、既にうまくトラブルを収拾していた。駅の反対側まで行ってもう一軒ケーキ屋を探し、事情を話してろうそくだけを分けてもらっていた。私たちは博士のところまで走って戻った。

帰り着いた時、食卓の様子がどこか違っているのに、私とルートは同時に気づいた。ヨーグルト瓶の花はまだ瑞々しく、ラジオはタイガースのリードを伝え、あとは料理を取り分けるだけになった皿は、きちんと積み重ねられているのに、最早そこは私たちが出掛ける前の食卓ではなかった。たった二本のろうそくを探している間に、何かが損なわれていた。お祝いのためのケーキが、ついさっきまで私と博士が見つめていた小さな空間に、崩れ落ちていた。

博士は空になったケーキの箱を両手に持ったまま、立ち尽くしていた。彼の背中が半ば暗闇に覆われようとしていた。

「用意しておこうと思ったんだ。すぐに食べられるように」

空き箱に話し掛けるように博士はつぶやいた。

「申し訳ない。何と言ってお詫びをしていいか……。もう取り返しがつかない。こんなになってしまって……」

私たちはすぐさま博士に寄り添い、彼を慰めるのに最も相応しいと思われることをした。ルートは博士の手から空き箱を引き離し、そこに入っていたのは大したものじゃないんだ、とでも言うように、ぶっきらぼうにそれを椅子の上に置いた。私はラジオのボリュームを下げ、食堂の電気を点けた。

「取り返しがつかないなんて、大げさ過ぎます。平気です。しょげるほどのことではありません」

私はてきぱきと手を動かした。こういう場合、ためらったり迷ったりしていては駄目だった。博士に余計なことを考える暇を与えず、できるだけ速やかにさり気なく、事態を元の姿に戻す必要があった。

ケーキは斜めに滑り落ちたらしく、半分が潰れていたが、残り半分は辛うじて形を留めていた。チョコレートで絞り出したメッセージは、博士&ルートおめ、まで無事だった。とにかく私はケーキを三つに切り分け、ナイフをこてにして生クリームを塗り直し、落下して散らばった苺やゼリーのウサギや砂糖菓子の天使をバランスよくあしらい、どうにか体裁を整えた。そしてルートの皿のケーキに、ろうそくを立てた。

「ね？　ちゃんとろうそくだって立てられたよ」

ルートは博士の顔をのぞき込んだ。

「これで炎を吹き消せます」

「味に変わりはないんだし」

「そう、何の不都合もありません」

私とルートは交互に博士に話し掛けた。犯したミスの小ささと、博士の背負っている罪の重さがいかに不釣り合いであるか、繰り返し話して聞かせた。けれど彼は黙ったまま、何も答えてくれなかった。

私の心に引っ掛かったのは、崩れたケーキよりも、むしろテーブルクロスの方だった。レースの編目にはカステラの欠けらやクリームの脂が詰まって、布巾でいくら拭ってもきれいにならなかった。布巾をこすりつけるたび、甘すぎる匂いが立ち上った。せっかく博士が蘇らせてくれたレース模様が、宇宙の成り立ちを解く暗号が編み込まれたレース模様が、台無しになってしまった。救いようもなく傷ついたのはケーキではなく、テーブルクロスだった。

私はレースの汚れをローストビーフの皿で隠し、スープを温め、炎を灯すためのマッチを用意した。ラジオが微かに、三回の表、ヤクルトが逆転したことを伝えていた。ルートはいつでも手渡せるよう、黄色いリボンを飾った江夏の野球カードを、そっとポケットに忍ばせた。

「さあ、ご覧のとおり。元のままです。どうぞ博士、お掛けになって下さい」

私は彼の手を取った。博士はようやく顔を上げ、かたわらのルートに視線を向けると、かすれた声で言った。

「君は、何歳かね」

それから、ルートの頭を撫で回した。

「名前は何かな。おお、なかなかこれは、賢い心が詰まっていそうだ。どんな数字でも別け隔てなくかくまって、ちゃんとした身分を与えてやる、ルート記号のようだ」

11

一九九三年六月二十四日の新聞に、イギリス生まれのプリンストン大学教授、アンドリュー・ワイルズによって、フェルマーの最終定理が証明されたという記事が載った。半ば後退しかけた縮れ毛に、ラフなセーター姿のワイルズの写真と、いかにも十七世紀らしい古風なガウンをまとったピエール・ド・フェルマーのイラストが、並んで一面を飾った。滑稽なほどにアンバランスな二人の姿が、最終定理のために費やされた時間の長さを物語っていた。数学の古典的謎が遂に解明されたことは、人間の知性の勝利であり、数学の新たな一歩であると、記事は偉業を讃えていた。また、ワイルズの証明の核心には、日本人数学者、谷山豊と志村五郎が打ち建てたアイデア、谷山＝志村予想があった事実も、控えめながら記されていた。

記事を読み終えると私は、博士を思い出す時いつもそうするように、定期入れから一枚の紙切れを取り出した。博士が書き付けた、オイラーの公式だった。

《$e^{\pi i}+1=0$》

それはいつもそこにある。決して変わらぬ姿で、静けさをたたえながら、私が手をのばせばすぐ触れられる場所にある。

一九九二年のシーズン、タイガースは優勝できなかった。ヤクルトとの最終二連戦に連勝すればまだ可能性はあったのだが、十月十日、2対5で敗れ、二位に終わった。優勝したヤクルトとのゲーム差は2・0だった。

ルートは泣いて悔しがったが、やがて年を追うごとに、優勝争いができただけでも幸せだったのだと悟るようになった。九三年以降、タイガースは球団創立以来何度目かの長い低迷期に入り、二十一世紀になってもまだBクラスから抜け出せないでいる。六位、六位、五位、六位、六位、六位、六位……。監督が何人も交代し、新庄がメジャー・リーグへ行き、村山実が死んだ。

一九九二年のあの日、九月十一日のヤクルト戦が、すべての分かれ目だったのではないかと、今にして思う。あの試合に勝ってさえいれば、優勝もできたし、長い低迷にも陥らずに済んだはずなのだ。

パーティーの後片付けを終え、博士の家からアパートへ戻ってくると、私たちはまずラジオのスイッチを入れた。試合は3対3で終盤に入っていた。やがてルートが眠りにつき、夜が更けてもまだ試合は終わらなかった。私はずっとラジオを聴いていた。

九回の裏二死一塁、フルカウントから八木がレフトへサヨナラホームランを放った。一度は塁審が腕を回し、電光掲示板にも2×が点ったのに、ラバーフェンスに当たってスタンドインしたとして、二塁打に訂正された。タイガースは抗議し、試合は三十七分間も中断された。二死二、三塁で試合が再開された時には、既に十時半になっていた。結局タイガースはサヨナラのチャンスを活かせず、嫌な雰囲気を引きずったまま、延長戦に突入していった。

耳では試合の行方を追いながら、胸の中では、ついさっきおやすみなさいを言って別れたばかりの博士の姿を思い浮かべていた。オイラーの公式を掌に広げ、その一行を見つめていた。ルートの寝息が聞こえるよう、部屋の扉は半分開けたままにしてあった。博士にプレゼントしてもらったグローブが、枕元に大事に置いてあるのが見えた。子供騙しのおもちゃなどではなく、ちゃんとした革でできた、軟式少年野球協会公認の、正真正銘のグローブだった。

ルートがろうそくの炎を吹き消し、三人の拍手が止み、食堂の明かりが再び灯った時、博士はテーブルの下に落ちているメモに気づいた。その時博士が陥っていた混乱を考えれば、彼にとってもルートにとっても幸運なタイミングの訪れだった。メモにはルートの誕生日プレゼントを仕舞った場所が記されていたからだ。それにより博士は自分の置かれている状況を少しずつ理解することができ、ルートはもちろん、グローブを手にすることができた。

誰かにプレゼントを贈るのに慣れていない人なのだと、私はすぐに気づいた。こんなものを貰ってもらうのは本当に心苦しいのだがというように、博士は包みを差し出した。大喜びしたルートが頬にキスをせんばかりに抱きついてきてもまだ、どうしていいか分からない様子で、もじもじしていた。

ルートはなかなかグローブを脱ごうとしなかった。私が注意しなければたぶん、グローブを左手にはめたまま、時折右手の拳で感触を確かめたりなどしながら、最後まで食事を続けていただろう。

後日判明したのだが、グローブは未亡人がスポーツ用品店まで行って購入してくれたものだった。どんな打球でも逃さず捕球できそうな美しいグローブを是非に、というのが博士の希望だったらしい。

私とルートはごく自然に振る舞った。ほんの十分足らずの間に私たちが忘れられていたとしても、慌てる必要はなかった。前から決めていたとおりにパーティーを始めるだけだった。私たちは博士の記憶について、もう十分な訓練を積んでいた。不用意な態度で博士を傷つけないよう、二人でルールも決め、様々な工夫もし、臨機応変に対処してきた。だから私たちは馴れ親しんだ方法をなぞるだけで、事態を修復できるはずだった。

なのにあの夜は、どうしても無視できない不安が三人の真ん中、ちょうど汚れてしまったテーブルクロスのあたりに、どんよりと横たわっていた。グローブをもらったあとのルートでさえ、油断するとつい視界の隅にそこが引っ掛かってしまい、慌ててさり気なく目をそらす、といった感じだった。どんなに上手に生クリームを塗り直しても、ケーキが元に戻らないのと同じだった。気にするほどのこともないと思い込もうとすればするほど、不安の塊は膨張していった。

でもだからと言って、パーティーが台無しになった訳ではない。最高の証明を提出した博士に対する尊敬の念は、いささかもそがれていなかったし、彼がルートに示す愛情は、たとえ小さなトラブルに見舞われた直後であっても、やはり最上のものだった。私たちは遠慮せず好きなだけ食べ、好きなだけ笑い、素数と、江夏と、タイガースの優勝について語り合った。

博士は十歳の少年が十一歳になった日を祝福できる喜びにあふれていた。ただの誕生日を、これ以上ないほど丁重に扱った。博士の振る舞いは私に、ルートが生まれた日がどれほど貴重な一日であるかを、改めて思い起こさせた。

4Bの鉛筆の芯がこすれないよう注意しながら、私はそっとオイラーの公式を指でなぞった。愛らしくカールしたπの両足や、iの点の思いがけない力強さや、きっぱりとした0の継目を、指先で感じ取った。延長戦に入ってからタイガースはサヨナラのチャンスをことごとく逃した。十二、十三、十四と回を重ねるごとに、本当は九回でサヨナラ勝ちのはずだったのにという思いが頭をよぎり、余計に疲労を大きくした。どうやっても、たった1点が入らなかった。窓の外は満月だった。日付が変わろうとしていた。

プレゼントを贈るのは苦手でも、もらうことについては博士は素晴らしい才能の持ち主だった。ルートが江夏カードを手渡した時の博士の表情を、きっと私たちは生涯忘れないだろう。カードを手に入れるため私たちが払ったごくささやかな労力に比べ、彼が捧げてくれた感謝の念はあまりにも大きかった。彼の心の根底にはいつも、自分はこんな小さな存在でしかないのに……という思いが流れていた。数字の前でひざまずくのと変わりなく、私とルートの前でも足を折り、頭を垂れ、目をつぶって両手を合わせた。私たち二人は、差し出した以上のものを受け取っていると、感じることができた。

博士はリボンを解き、しばらくカードを見つめ、一度何か言おうとして顔を上げるが、ただ唇を震わせるだけで何も語らず、まるでそれがルート自身であるかのように、あるいは素数そのものであるかのように、いとおしくカードを胸に抱き寄せた。

タイガースは勝てなかった。延長十五回、3対3の引き分け。試合時間は六時間二十六分だった。

博士が専門の医療施設へ入ったのは、パーティーの翌々日の日曜日だった。電話で連絡をくれたのは未亡人だった。

「随分、急なんですね」

私は言った。

「前々から準備は進めていました。施設の定員に空きが出るのを、待っていたのです」

未亡人は答えた。

「前回受けたご注意にもかかわらず、また勤務時間を破ったからでしょうか」

私は尋ねた。

「いいえ」

彼女の口調は落ち着いていた。

「そのことを責めるつもりはありません。私には分っておりました。義弟が唯一のお友だちと一緒に過ごせるのは、もうあの夜で最後になるだろうと。あなたご自身も、お気づきになっていらしたでしょう？」

私は何も答えられず、ただ黙っていた。

「八十分のテープは、壊れてしまいました。義弟の記憶は最早、一九七五年から先へは一分たりとも前進できなくなっております」

「施設へお世話にうかがってもいいんです」

「その必要はありません。何でも向こうでやってくれます。それに……」

一度言い淀んでから、彼女は続けた。

「私がおります。義弟は、あなたを覚えることは一生できません。けれど私のことは、一生忘れません」

施設は町の中心からバスで海辺へ四十分ほど走った場所にあった。海岸沿いの県道を脇道へ入り、小高い丘を登りきった、古い飛行場跡の裏手だった。談話室の窓からは、ひび割れた滑走路と屋根に雑草の生えた格納庫、その向こうに細長い海が見えた。天気のよい昼間には、波も水平線も太陽のきらめきに包まれ、ただ一筋の光の帯になって横たわっていた。

私とルートは一か月か二か月に一度、博士に会いに行った。日曜の朝、サンドイッチを作ってバスケットに詰め、それを持ってバスに乗った。談話室でしばらくお喋りをし、テラスに出て一緒にお昼ご飯を食べた。暖かい日には博士とルートは前庭の芝生でキャッチボールをした。そしてお茶を飲み、またお喋りをし、一時五十分のバスに間に合うようおいとました。

未亡人が付き添っていることもしばしばあった。たいていは遠慮して買物に出て行ったが、時には談笑に加わったり、お菓子を出してくれたりもした。唯一博士と記憶を共有できる者としての役目を、ごく控えめに果たしているように見えた。

こんなふうにして私たちの訪問は、博士が死ぬまで、何年にも亘って続いた。ルートは中学、高校と進み、大学に入って膝を怪我するまで二塁手として野球を続けた。その間私はずっとあけぼのの家政婦だった。私より二十センチ以上も背が高くなり、無精髭が生えるような年になってもまだ、博士にとってルートは庇護すべき愛する子供だった。腕を一杯にのばしてもタイガースの帽子に手が届かなくなった博士のために、心行くまで髪の毛をくしゃくしゃにできるよう、ルートは中腰になって頭を差し出した。

博士の背広のスタイルは変わらなかった。ただ、背広を覆っていたメモは次第に用をなさなくなり、一枚、一枚とはがれ落ちていった。何度も書き直し、付け替えたメモ、《僕の記憶は80分しかもたない》はいつしか姿を消してクリップだけとなり、私の似顔絵とルート記号が書かれたメモは、変色し、乾燥し、粉々になって朽ち果てた。

代わりに博士のシンボルとなったのは、首からぶら下げている野球カードだった。私たちがプレゼントした、江夏のプレミアムカードだった。肌身離さず持っていられるよう、クリアーケースの端に小さな穴を開け、紐を通したのは未亡人だった。最初見た時は、施設の出入りに必要なIDカードかと思った。しかしそれは、博士が博士であることを証明している点においては、IDカードそのものだとも言えた。逆光になった廊下を、談話室へ向かって歩いてくる人物が、間違いなく博士だと教えてくれるのは、胸に下がったカードの揺らめきだった。

一方ルートも、博士にもらったグローブを必ず持参した。博士とのキャッチボールは不恰好なお遊戯みたいなものだったが、二人は大いにそれを楽しんだ。ルートは彼が最も捕りやすい所へボールを投げ、どんなにとんでもない返球でもキャッチすることができた。私と未亡人は並んで芝生に腰をおろし、ナイスプレーに拍手を送った。サイズがルートの手には合わなくなってからも、セカンドには小振りの方が素早く送球できていいんだ、と言って長くそれを使い続けた。色は褪せ、縁はすり減り、メーカーのマークは取れてなくなっていたが、決してうらぶれた様子は見せなかった。指先をあてがうだけで、するりとルートの左手の形に馴染んだ。数えきれないボールを受けてきた革の光沢は、威厳さえ感じさせた。

最後の訪問になったのは、ルートが二十二歳を迎えた秋だった。

「2以外のすべての素数は二種類に分類されると、知っているかね」

博士は日当たりのいい椅子に腰掛け、4Bの鉛筆を握っていた。私たち以外、談話室に人影はなく、時折廊下を行き過ぎる人の気配も遠く、ただ博士の声だけが真っすぐ耳に届いてきた。

「nを自然数として、4n+1か、あるいは4n−1か。二つに一つだ」

「無限にある素数が全部、そのたった二つに分けられるんですか」

私は思わず感心してしまう。4Bの鉛筆から生まれる式はいつも質素なのに、その意味するところはあまりにも広大だ。

「例えば13なら……」

「4×3+1です」

ルートが答える。

「その通りだ。19なら？」

「4×5−1です」

「実に正しい」

幸福そうに博士はうなずく。

「もう一つ付け加えよう。前者の素数は常に二つの二乗の和で表せる。しかし後者は決して表せない」

「$13=2^2+3^2$です」

「ルートのような素直さを持ってすれば、素数定理の美しさは更に輝く」

博士の幸福は計算の難しさには比例しない。どんなに単純な計算であっても、その正しさを分かち合えることが、私たちの喜びとなる。

「ルートは中学校の教員採用試験に合格したんです。来年の春から、数学の先生です」

私は誇らしく博士に報告する。博士は身を乗り出し、ルートを抱き締めようとする。持ち上げた腕は弱々しく、震えてもいる。ルートはその腕を取り、博士の肩を抱き寄せる。胸で江夏のカードが揺れる。

背景は暗く、観客もスコアボードも闇に沈み、江夏ただ一人が光に浮かび上がっている。今まさに、左手を振り下ろした瞬間だ。右足はしっかりと土をつかみ、ひさしの奥の目は、キャッチャーミットに吸い込まれてゆくボールを見つめている。マウンドに漂う土煙の名残が、ボールの威力を物語っている。生涯で最も速い球を投げていた江夏だ。縦縞のユニフォームの肩越しに背番号が見える。完全数、28。

参考文献

「はじめまして数学1、2」（吉田武／幻冬舎）
「数の悪魔」（エンツェンスベルガー／丘沢静也訳／晶文社）
「天才の栄光と挫折　数学者列伝」（藤原正彦／新潮社）
「数学者の言葉では」（藤原正彦／新潮社）
「フェルマーの最終定理」（サイモン・シン／青木薫訳／新潮社）
「放浪の天才数学者エルデシュ」（ポール・ホフマン／平石律子訳／草思社）
「牙　江夏豊とその時代」（後藤正治／講談社）
「左腕の誇り　江夏豊自伝」（江夏豊／波多野勝構成／草思社）

初出誌　『新潮』二〇〇三年七月号

装画　戸田ノブコ
装幀　新潮社装幀室

小川洋子

1962年岡山市生まれ。早稲田大学第一文学部文芸科卒業。88年「揚羽蝶が壊れる時」で海燕新人文学賞を受賞。91年「妊娠カレンダー」で第104回芥川賞を受賞。主な著作に、『冷めない紅茶』『やさしい訴え』『ホテル・アイリス』『沈黙博物館』『アンネ・フランクの記憶』『貴婦人Aの蘇生』『偶然の祝福』『まぶた』など。

博士《はかせ》の愛《あい》した数式《すうしき》

著者／小川洋子《オガワヨウコ》

＊

発行／2003年8月30日
66刷／2025年6月5日

発行者／佐藤隆信
発行所／株式会社新潮社
郵便番号162-8711／東京都新宿区矢来町71
電話・編集部03(3266)5411・読者係03(3266)5111
http://www.shinchosha.co.jp

＊

印刷所／大日本印刷株式会社
製本所／加藤製本株式会社

＊

ISBN978-4-10-401303-6　C0093